VIVRE L'AMOUR

la thérapie du cœur ouvert

Titres déjà parus dans la
COLLECTION PARCOURS
dirigée par Josette Ghedin Stanké

LA MÉNOPAUSE
par Winnigred Berg Cutler Ph.D., Celso-Ramón García M.D., et David A. Edwards Ph.D.

LAISSEZ-MOI DEVENIR
par Dr Gilles Racicot

CES FEMMES QUI AIMENT TROP (tome 1)
par Robin Norwood

CES FEMMES QUI AIMENT TROP (tome 2)
par Robin Norwood

SYNDROME PRÉMENSTRUEL
par Dr Michelle Harrison

IMAGE DE SOI ET CHIRURGIE ESTHÉTIQUE
par Dr Alphonse Roy et Sophie-Laurence Lamontagne

NON ! CE N'EST PAS FINI
par J. Clément Gélinas

OSTÉOPOROSE
par Wendy Smith

UN DERNIER PRINTEMPS
par June Calwood

VIVRE LA SANTÉ
par Dr Deepak Chopra

SIDA, UN ULTIME DÉFI À LA SOCIÉTÉ
par Dr Élisabeth Kübler-Ross

DE L'AMOUR-PASSION AU PLEIN AMOUR
par Jacques Cuerrier et Serge Provost

LE PÈRE SÉPARÉ
par Lise Turgeon

Robert Steven Mandel

VIVRE L'AMOUR

la thérapie du cœur ouvert

Traduit de l'américain par Marie-Thé Brûlon

Avant-propos de Josette Ghedin Stanké

Données de catalogage avant publication (Canada)

Mandel, Robert Steven, 1943-
Vivre l'amour : la thérapie du cœur ouvert
(Collection Parcours).
Traduction de : Open heart therapy.
ISBN 2-7604-0345-9
1. Amour. 2. Réalisation de soi (Psychologie).
I. Titre. II. Collection : Parcours (Stanké).
BF575.L8M3614 1989 158'.1 C89-096095-X

Cet ouvrage a été publié sous le titre original de
Open Heart Therapy par Celestial Arts.

ISBN 2-7604-0345-9

Dépôt légal : deuxième trimestre 1989

IMPRIMÉ AU CANADA

Dédicace

À toi, Mallie, ma femme que j'aime, et aux enfants Kim et Susanna que tu as apportés dans mon cœur.

Les mots sont bien loin de pouvoir rendre compte de la gratitude que je ressens pour tout ce que tu m'as donné et tout ce que tu m'as permis de te donner.

Je t'aime et je ne te quitterai jamais !

Remerciements à

Maman, pour m'avoir montré que le réservoir de l'amour est sans fond.

Papa, pour m'avoir soutenu quand j'ai pris des risques et risqué l'échec.

Bryna, pour ton amour et ton aide inconditionnels, et ton inspiration créatrice sans réserve.

Sondra, pour avoir créé le Programme des relations d'amour, et pour ton appui inébranlable quand je m'y suis lancé.

Léonard, pour m'avoir conduit à ma respiration, permettant à ma respiration de me conduire.

Robert, parce que tu es le frère que je n'ai jamais eu.

Doreen, pour ta joie, ton enthousiasme, ton amitié solide et ton dévouement à la famille.

Peter, dont l'amour est profond et qui m'a appris que mon amour est très satisfaisant.

Diane, qui m'a montré que l'amour peut être la terre, l'air, le feu, ou l'eau.

Fred : miroir brillant grâce auquel j'ai pu me parfaire.

Steven, qui m'a aidé à choisir ma liberté.

Bobby, tu m'as montré à ne pas avoir peur de ma peur.

Wendy, tu as toujours, toujours été là.

Larry, pour les Productions Open Heart.

Et à ma famille d'amis que j'ai partout.

Merci !
Merci !
Merci !

Ce livre est pour tous

Si quelqu'un vous a déjà rabattu le nez ou le caquet, laissé dehors ou laissé de côté,
si vous avez déjà dû vous retenir ou vous contenir, tenir le coup ou tenir à distance,
si on ne vous a pas assez tenu dans les bras quand vous étiez enfant,
si vous voulez être cajolé maintenant,
si vous vous accrochez à une ancienne peine,
si votre vie amoureuse est mise en attente,
ce livre est pour vous !

Si vous êtes sans espoir au sujet de l'amour,
si vous vous sentez victime,
ou souhaitez être mort,
ou n'être jamais né,
ce livre est pour vous !

Si vous vous demandez si c'est vraiment mieux d'avoir aimé et perdu que de n'avoir jamais aimé du tout,
si vous avez aimé et perdu mais voulez à nouveau trouver l'amour,
si votre cœur est engourdi et vide, mais avide,
si l'amour est un luxe que, d'après vous, vous ne pouvez pas vous offrir,
si l'amour vous paraît illogique,
si ça ne change rien à rien parce que vous pensez que le monde court à sa perte,
si tout vous semble inacceptable,
si vous avez envie de laisser tomber mais ne savez pas trop comment capituler,
si vous avez déjà goûté à l'élixir divin qu'est l'amour et êtes maintenant prêt pour le festin,
ce livre est pour vous !

Ce livre est pour tous.

On ne court aucun danger en aimant à nouveau !

Table des matières

Hommage à Bob

Quel genre de personne pourrait bien être le directeur du Programme des relations d'amour ?

Quelqu'un qui écrirait un livre appelé *Vivre l'amour, la thérapie du cœur ouvert.*

Quelqu'un qui serait mon égal.

Quelqu'un en qui je pourrais avoir confiance à tout jamais, du plus profond de moi-même.

Quelqu'un qui, si j'étais à l'étranger ou non disponible, pourrait prendre et prendrait les mêmes décisions que j'aurais prises — ou de meilleures.

Quelqu'un qui serait une inspiration pour l'amour total, l'ouverture totale, l'honnêteté totale, la reddition totale, et le don total.

Quelqu'un qui vivait une bonne relation et le démontrait à la face du monde, vivant toujours en accord avec ses principes.

Quelqu'un dont le cas personnel n'entravait pas le travail.

Quelqu'un qui comprend ce qui se passe vraiment dans les relations personnelles, les relations d'affaires et professionnelles, et les relations entre les pays.

Quelqu'un qui a pu mettre sur pied et diriger des familles spirituelles, et les aider à grandir.

Quelqu'un d'entièrement dévoué à la vie spirituelle, qui comprend que le travail est un culte.

Quelqu'un qui a l'énergie, la force d'âme et le regard nécessaires pour faire face aux situations qui pourraient se présenter.

Pour être franche, j'avais besoin de quelqu'un qui soit un miracle, besoin de quelqu'un comme Bob Mandel.

Bob, je t'exprime ma gratitude pour ce livre et pour tout ton travail à travers le monde. Et je suis d'accord avec Robert Rossellini qui exprime ainsi la reconnaissance qu'il a envers toi : « Tu as toutes les qualités du chef, hormis la domination. »

Merci,
Sondra Ray

Avant-propos

VIVRE L'AMOUR, la thérapie du cœur ouvert est un « aide-toi toi-même ». Sa philosophie dit que chaque être est responsable de son expérience. Pour qu'un événement soit, il a fallu qu'il soit pensé. Toutes nos pensées influent sur les circonstances de notre vie. Ce sont nos convictions profondes qui créent notre vision du monde et les événements de notre existence. Celui qui vit la hantise d'être trompé trouve toujours son Judas intime. Celui qui n'a pas le courage d'être et de se dire trouve toujours son geôlier. Celui qui a peur du cancer se le forge. Sans ces attentes intimes, le traître, le geôlier, le cancer ne seraient pas appelés. Ne seraient pas une réalité.

La pensée est le fondement de notre vécu. Elle a tout pouvoir dans sa réalisation. Parce qu'elle est répétitive et entêtée, qu'elle aime rebattre ses sentiers et s'y prélasser, elle ramène toujours à ce que l'on connaît. Elle nous fait répéter. Si l'on n'y prend pas garde, on vit au passé et on se laisse contrôler, rigidifier, tromper, accabler, retarder par ces idées qui ne sont plus d'actualité.

Mais si l'on favorise l'accalmie de la mémoire, du connu et du craint, si l'on ose risquer l'ouverture vers le possible et l'inconnu, alors la pensée n'est plus emprisonnée dans les raisonnements, elle fait place à l'intuition, à la nouveauté et à l'invention.

VIVRE L'AMOUR, la thérapie du cœur ouvert nous montre justement le comment, le quoi et le pourquoi à la fois des moyens que nous prenons pour nous priver d'exister, et ceux qui sont à notre portée pour nous ouvrir cœur et esprit à l'intrépidité de la vie jamais à court de clémence et de miracles.

Robert Steven Mandel nous propose sa thérapie de l'implant — vous pouvez l'appeler affirmation — réellement une graine qui ne demande qu'à germer, une attitude positive plantée dans notre subconscient à l'aide de la répétition et qui va nous empêcher d'être victime de nos pensées et expériences négatives.

De cet exercice résulte toujours un réel changement qui se répercute dans toutes nos attitudes, amplifié et soutenu par « l'opération-déviation », un autre recours thérapeutique qui fait le contre-pied à notre habitude de contrôle. Celle-ci nous exerce à penser autrement et librement ce que nous rabâchons piteusement depuis l'enfance.

Cet ouvrage n'est pas un livre de recettes. C'est un appel intelligent et sensible à une réflexion vivante et intime. Nous regardons ainsi notre expérience et en tirons profit. Ce n'est pas une lecture placide. Il nous arrive fréquemment d'y résister. Qui n'est pas menacé quand il sent qu'il va se transformer, même si c'est pour s'améliorer ?

Mine de rien, pourtant, la thérapie se fait. Nous arrivons à capituler. Capituler, s'abandonner, laisser être, s'ouvrir à l'innocence pour que plus de vie nous pénètre, n'est-ce pas le préalable obligatoire pour vivre l'amour ?

VIVRE L'AMOUR, la thérapie du cœur ouvert est un de ces rares livres dont on ressort heureusement transformé.

Josette Ghedin Stanké

Chapitre 1

Le dilemme de l'amour

Le dilemme de l'amour est aussi simple que déroutant.

Comment peut-on faire confiance à l'amour quand, par le passé, l'amour ne s'est pas montré digne de notre confiance ? Comment peut-on mettre sa confiance dans une expérience quand on a peur que ce ne soit rien d'autre qu'une illusion, un rêve qui sera obligatoirement suivi du réveil ? Comment peut-on aller au-delà du cynisme, dernier refuge des romantiques ?

Comment peut-on compter sur les autres, quand par le passé on a été déçu ? Comment peut-on croire que l'on sera là pour les autres, alors que notre cœur a déjà changé tant de fois d'avis ? Comment peut-on avoir des relations qui ne soient ni de brèves passions ni des batailles à n'en plus finir ? Comment peut-on faire durer l'amour ? Comment allier le plaisir de l'amour et la souffrance que l'amour semble toujours impliquer : l'impression d'impuissance, la lutte, le contrôle, la culpabilité, la désapprobation ? Est-ce que l'amour vaut jamais le coût ? On dit de l'amour qu'il est éternel, or nous sommes apparemment mortels : est-ce que la saveur d'éternité vaut la peine de mordre à l'hameçon ? Ou bien est-ce que l'amour n'est pas tout simplement un répit passager entre la naissance et la mort, une douce blague sur le chemin de la potence ?

Regardez les grands amoureux fictifs du passé : Tristan et Iseult, Roméo et Juliette. La prémisse à la base de leur histoire d'amour a montré que l'amour romantique est non seulement socialement inacceptable mais aussi tout à fait futile dans cette vie. L'amour romantique est une belle fiction, un fantasme d'évasion, un soulagement temporaire de la « réalité ».

Et pourtant, la vie sans l'amour semble à peine valoir la peine. Quand on cherche à convertir la quête de l'amour en quelque chose de plus tangible, on se leurre davantage. La poursuite frénétique de l'argent, du pouvoir et des conquêtes sexuelles est une poursuite vaine, qui ne rapporte au chasseur que frustration et vide à l'âme.

D'un autre côté, la tentative de réduire l'amour à un mode de vie socialement acceptable n'a généralement rien de bien excitant. Il est admis que le mariage de convention est un échec. Regardez le taux des divorces qui monte en flèche. Originellement, le mariage se voulait être une union spirituelle, et maintenant il est ramené au rang d'une commodité sociale, d'une tradition familiale, d'un contrat légal, d'une parodie de l'esprit ! Et s'unir à quelqu'un « jusqu'à ce que la mort nous sépare » a une connotation de jugement dernier qui intensifie la peur de la perte que l'union cherche à dépasser. Le divorce devient alors, plus que le mariage, une manifestation de la vie. Qui veut être emprisonné dans un autre système fermé? Rebelles que nous sommes, nous tuons l'amour avant que l'amour ne nous tue.

À la longue, le système fermé nous condamne, et en plus, nous ne respirons pas en cours de route. Comment peut-on s'abandonner à un amour plus intense et au plaisir d'aimer alors qu'on nous apprend à ménager nos ressources et à garder une poire pour la soif ? Comment peut-on vivre pleinement chaque journée quand nous pensons que nos jours sont comptés ?

Nous sommes les victimes d'une crise d'énergie qui est de notre propre invention. Nous sommes piégés dans une situation critique entre l'amour éternel et la peur mortelle. Le résultat est une culture basée sur la désespérance, obnubilée par une bonne forme physique qui n'est qu'éphémère, et intoxiquée par des émotions à deux sous. Nous vivons et aimons vraiment comme si demain n'existait pas.

Comment résoudre le dilemme de l'amour et ouvrir la porte aux satisfactions que l'amour apporte ? Nous savons tous que l'amour apporte des satisfactions !

Chapitre 2

Qu'est-ce que cette folie qu'on appelle l'amour ?

Ne vous y trompez pas : ce livre parle de « Comment faire pour... ». Ainsi que vous le lirez, les principes et procédures de la thérapie du cœur ouvert ont eu des résultats pour des milliers de gens. Ils peuvent marcher pour vous.

Cependant, avant d'en venir aux « Comment », il y a plusieurs « Quoi », « Pourquoi » et « Donc... » qui valent la peine d'être regardés de plus près.

Qu'est-ce que l'amour ?

Il est clair que nous faisons connaissance pour la première fois avec l'amour quand nous sommes dans le sein maternel, là où nous baignons dans un sentiment de bien-être pénétrant, et que ce sentiment circule à travers notre corps et nous nourrit en subvenant aux besoins inhérents à notre évolution spirituelle, mentale et physique.

Durant les douze premières semaines du développement prénatal, il n'y a pas de cordon ombilical pour nous apporter nourriture et oxygène. Pendant cette période, que nous passons niché contre la paroi de l'utérus, nous nous développons rapidement. Nous sommes nourris par la simple connexion avec notre mère, et cependant c'est le miracle d'un nouvel être en croissance, mûrissant, et qui accomplit sa propre destinée ! (Il y a un indéniable principe de vie : la conception est presque toujours suivie d'une expansion et d'une multiplication rapides d'énergie — pas seulement dans l'utérus, mais aussi en général. La période qui suit la conception d'un projet est souvent le temps de croissance le plus excitant, stimulant et productif.) La croissance est rapide quand nous sommes alimentés par l'énergie pure de la vie, nos cellules croissent et se multiplient alors selon leur nature.

Après ce stade préliminaire, le cordon ombilical se forme et semble combler tous nos désirs et nos besoins. Plus tard, dans la vie, nous cherchons souvent à recréer ce lien ombilical — parfois compulsivement. Nous pensons que, si seulement nous pouvions trouver une personne qui nous aime assez, une personne qui soit assez généreuse pour se sacrifier et prendre soin de tous nos besoins, alors nous pourrions retrouver cette ambiance de chaleur et d'amour que nous sentions dans le sein maternel. C'est une tragique erreur de calcul.

L'amour est plus qu'une satisfaction de besoins, quoique le fait de savoir que ces besoins seront satisfaits soit un préalable pour l'amour.

La satisfaction de vos besoins est une question de survie. Vivre l'amour que vous désirez et que vous méritez est une question de qualité de vie. Quand vous savez que votre survie est assurée, alors — et seulement alors — vous pouvez librement porter votre attention sur la qualité de votre existence. C'est là qu'une vie amoureuse saine prend naissance.

Vous ne devez pas obligatoirement être parfait pour avoir une relation parfaite.

Autrement dit, une fois que vous savez que vous pouvez prendre soin de vous, le fait d'allier vos forces à celles d'un autre être autonome représente une transformation qualitative de votre vie. Deux personnes indépendantes qui conviennent d'être mutuellement responsables l'une de l'autre le font non pas parce qu'elles n'ont pas de besoins, mais parce qu'elles ne cherchent pas à être prises en charge. Elles le font parce qu'elles savent que la vie est plus facile et plus agréable quand on est avec quelqu'un qui nous soutient. Ces deux personnes encouragent mutuellement leur joie et leur vitalité, sachant très bien que plus notre partenaire est heureux, plus c'est facile pour nous. Cela n'est pas nécessairement l'amour, mais c'est ce à quoi ressemble une saine relation d'amour.

Dans la famille dans laquelle nous naissons, nous apprenons vite ce que l'amour veut dire pour nos parents. Nous recevons tout un éventail de messages confus et souvent contradictoires à propos de ce qu'est un comportement acceptable et de ce qu'est un comportement discutable. Il ne faut généralement pas beaucoup de temps pour que l'on découvre quelles actions amènent des sourires et lesquelles font froncer les sourcils. Nous en concluons assez tôt que l'amour est quelque chose que nous gagnons, dont nos parents nous gratifient si nous nous conduisons convenablement. Ce pattern est souvent renforcé par l'éducation religieuse qui nous enseigne que l'amour de Dieu se mérite par de bonnes actions. Et alors, ou bien nous devenons maîtres en l'art de gagner l'approbation et d'éviter la désapprobation, ou bien nous rejetons le tout et nous devenons de « vilains garnements ».

Est-ce que l'approbation est l'amour ? Certainement pas. Si votre état de cœur dépend toujours de ce que les autres pensent de vous, vous êtes coincé dans un autre système fermé où vous devez vous réprimer de façon à gagner l'amour. Le véritable amour, à mon avis, n'est jamais basé sur l'autorépression. En outre, si vous pensez que vous avez besoin de l'approbation des autres pour survivre (comme cela semblait être le cas avec vos parents), vous deviendrez de plus en plus hostile et irrité en face de ceux dont vous voudriez être aimé (quoique vous puissiez masquer ces sentiments derrière un sourire forcé socialement acceptable). On déteste toujours secrètement les gens dont on pense avoir le plus besoin.

Opération-déviation n° 1

Prenez une feuille blanche et séparez-la en deux par une ligne verticale. En haut de la colonne de gauche, écrivez : « Ce que ma mère pensait de l'amour, c'était... ». En haut de la colonne de droite, écrivez : « Ce que mon père pensait de l'amour, c'était... ». Remplissez les deux colonnes.

Essayez d'imaginer à quoi ressemblait le système de croyances de vos parents au sujet de l'amour, et commencez à laisser sortir de vous les pensées négatives et à vraiment adopter celles qui sont positives. Voyez si vous pouvez faire ceci sans donner tort à vos parents. Remarquez quels sentiments émergent en vous.

Ainsi donc, le jeu approbation/désapprobation est tout simplement une variante du jeu besoin/obligation ! Je vais être très gentil avec toi et faire tout ce qu'il faudra pour mériter ton amour, comme ça tu seras bien obligé de m'aimer et peut-être même que tu penseras que pour survivre tu as besoin de moi ayant besoin de toi. Évidemment, même si ce jeu marche, *ça ne marche pas,* parce que vous allez finir par prendre en horreur l'objet de votre affection, en vous demandant comment quelqu'un peut être assez bête pour arriver à croire cela.

L'amour, c'est bien plus que le fait d'obtenir une approbation, quoique l'approbation soit souvent le résultat tout naturel d'une vie amoureuse saine.

Est-ce que l'amour est un mystère sans espoir, un état dans lequel on « tombe » en souhaitant désespérément que ça marche ?

♥ **Tomber amoureux est l'euphémisme du romantique pour parler de ses besoins infantiles.**

Tomber amoureux, c'est avoir le sentiment que votre désir désespéré d'avoir quelqu'un à s'occuper de vous pour toujours est peut-être enfin comblé. Peut-être avez-vous enfin trouvé un substitut parental qui fera si bien son travail que vous n'aurez jamais à grandir. Le message subconscient que l'on lance en tombant amoureux est : « Attrape-moi ! »

Tomber amoureux est exactement le contraire d'être amoureux. Cela donne de beaux romans d'amour, mais dans la vie réelle c'est quelque chose de totalement futile.

Alors, qu'est-ce que cette folie qu'on appelle l'amour ?

Qu'on se rappelle ces quelques premiers mois dans l'utérus, avant les liens au cordon ombilical, avant le besoin d'être approuvé, avant le besoin de substituts parentaux. Nous baignions alors dans un sentiment de bien-être pénétrant, nous nous sentions soutenus par l'énergie vitale dont nous étions nourris : nous avions la sensation que nous pouvions grandir, et grandir, et grandir sans que rien ne vienne entraver notre croissance, et que la vie est quelque chose qui n'a besoin que d'elle-même.

Qu'est-ce que l'amour? L'amour est une énergie puissante, vitale, qui circule en vous quand vous coulez en elle. Quand cette énergie circule librement, elle rajeunit les cellules de votre corps et vous voilà à nouveau « jeune de cœur ».

♡ ***L'amour est une énergie puissante, vitale, qui circule en vous quand vous coulez en elle.***

Il n'y a que l'amour qui puisse guérir. Les docteurs soignent, les médicaments soulagent les symptômes désagréables, mais il n'y a que l'amour qui puisse guérir le tréfonds d'un être. Les docteurs remettent en état ou remplacent un organe ou un membre endommagé, mais seul l'amour revitalise le corps. Il éveille les cellules engourdies à une nouvelle vigueur spirituelle. L'amour est le guérisseur suprême de la foi.

L'amour est donc une expérience de capitulation absolue. Cela nécessite une foi et un courage que l'esprit mortel ne peut pas comprendre. La capitulation n'est pas la soumission à la volonté de quelqu'un d'autre. Capituler, c'est céder intérieurement le terrain à vos propres sentiments, à vos vulnérabilités, à votre intuition et à votre vitalité — le « vous » caché, le « vous » inconnu. Capituler, c'est tomber amoureux de vous-même !

Si vous ne vous aimez pas vous-même, qui donc est censé le faire pour vous ?

Comment pouvez-vous capituler devant le vous inconnu si vous avez peur de perdre votre moi-ego que vous avez si soigneusement construit et qui vous est si familier ? Comment pouvez-vous vous ouvrir à l'amour si votre fondement même est l'autodéfense ? Comment pouvez-vous lâcher prise si vous ne savez que vous accrocher ? Comment pouvez-vous vous laisser porter par l'énergie de votre cœur si vous retenez automatiquement votre souffle et supprimez toute énergie chaque fois que vous commencez à sentir intensément les choses ? Comment pouvez-vous exploiter vos ressources cachées et vivre pleinement la vie si vous avez peur que la disparition des murs familiers — que vous avez érigés pour éviter la vie — ne signifie la mort ?

On ne court aucun danger en aimant à nouveau !

Voici d'autres « Comment ». Voici d'autres contradictions. Je suis très précisément en train de vous dire que le message principal de ce livre est simple ! On ne court aucun danger en aimant à nouveau ! Mais je vous dis aussi que, à cause de toute une vie de conditionnements, vous allez repousser ce message à chaque carrefour. Cette voix scientifique bien entraînée qui est dans votre esprit va exiger une preuve, un témoignage incontestable. Et plus vous approcherez de l'étape du démantèlement de la forteresse qu'est votre ego, plus vous aurez envie d'envoyer ce livre au diable.

En cette époque d'ordinateurs et de navettes spatiales, faire confiance à l'amour devient un acte mystique. On ne peut pas faire la preuve de l'amour. La partie de votre esprit qui cherche des raisons, des explications, de la documentation ne sera pas satisfaite ici. Et vous pouvez vous attendre à ce que cette partie de votre esprit qui doute continue à douter !

Et pourquoi pas ? Le doute est la raison d'être de la partie suspicieuse de votre esprit. D'ailleurs, je vous invite à vous adonner au doute tout au long de ce livre. Le simple fait de vous permettre de douter peut faire beaucoup plus pour libérer le doute et ranimer la confiance que ne le ferait la lutte contre votre specticisme.

Mais, en vous, il y a plus que le doute. En vous, il y a une partie qui aspire à faire confiance et à aimer à nouveau, et c'est à cette partie-là que je parle. Cette partie n'est pas votre esprit, elle est votre cœur, et les aspirations du cœur sont fréquemment emprisonnées par les raisonnements de l'esprit. Vous avez besoin d'idées qui contournent les limitations logiques de l'esprit pour éveiller et alimenter ces aspirations qui sont valides.

L'amour est un casse-tête pour l'esprit. Mais il est normal que l'esprit se casse la tête quand il s'occupe de ce qui n'est pas de ses affaires. L'amour est la science du cœur, la sagesse collective des temps passés qui est profondément ancrée en chacun de nous. L'amour est la porte ouverte à l'intuition, à la télépathie, et à la profonde expérience spirituelle. Oui, l'amour *est* un acte mystique complètement irrationnel, mais sans l'amour pour tempérer le rationnel, peut-on être certain de notre survie, sans même parler du progrès et de l'évolution ?

La plupart des gens sont des cas ambulants de joie éteinte et de vitalité étouffée. À partir de quand est-ce que la répression devient le prix à payer pour l'opération ? Freud a dit qu'il fallait réprimer pour fonctionner. Cette attitude repose sur une méfiance fondamentale à l'égard de qui nous sommes. À partir de quand est-ce que le coût ne vaut plus la douleur ?

Chapitre 3

Ouverture de l'esprit, ouverture du cœur

Peut-être que le monde tel qu'on le voit est en grande partie une illusion, un drôle d'endroit, une mixture de notre propre opinion et de celle des autres, une ingénieuse projection d'associations faites dans le passé et qui camouflent ce qui s'y passe vraiment.

L'esprit se porte à merveille quand il est en terrain familier. Il adore comprendre les choses, et normalement il le fait en faisant entrer des phénomènes inconnus dans des catégories mentales connues. Par exemple, vous savez ce qu'est la maison (au sens de « chez soi ») parce que vous avez connu beaucoup de maisons qui étaient des « chez soi ». Et un jour, vous visitez un site archéologique au Mexique. Vous arrivez à une construction présentée comme « maison de paysans », et votre esprit ne pourra pas s'empêcher de chercher aussitôt ce qui lui est familier : l'endroit pour dormir, l'endroit pour cuisiner, les toilettes. Vous ne pouvez comprendre que ce que vous pouvez rattacher au passé. Peut-être que dans votre hâte de comprendre les choses vous avez placé une chambre là où étaient entreposées les provisions, ou une cuisine à l'endroit où les gens priaient, mais votre esprit quitte le site en pensant qu'il *sait*, et sa vision de la réalité est intacte.

En matière de cœur, il est difficile de vivre l'expérience de l'amour si vous « voyez » avec les yeux de votre passé. Par exemple : votre amoureux — qui est normalement loquace et plein d'esprit à table — rentre à la maison le jour de votre anniversaire et étale le journal en grand sur la table de la salle à manger. Vous vous lancez dans une tirade où il est question de manque de savoir-vivre, d'impolitesse, de manque d'égards, et vous sortez en trombe de la maison. Votre amoureux en est tout abasourdi et se dit : « Mais j'étais tout simplement en train de chercher un endroit où aller fêter ! »

Qu'est-ce qui s'est passé ? Eh bien, il se trouve que votre père s'est toujours caché derrière *The Wall Street Journal* quand il était à table, créant ainsi un mur silencieux de contrariété entre lui et le reste de la famille. La vue de votre amoureux lisant le journal déclenche toute la frustration et le ressentiment de votre enfance. Dans votre esprit, à ce moment précis, votre amoureux est votre père. Quand vous sortez en trombe de la pièce, c'est votre enfance qui vous fait agir ainsi. Vous n'êtes pas vous-même. Vous n'êtes pas dans le moment présent.

C'est la loi de la projection. Nous projetons constamment dans la réalité du présent des émotions qui n'ont pas été complètement vécues dans le passé. Si l'amour est aveugle, la projection est ce qui brouille le plus notre vision. Quand nous libérons notre esprit et notre corps du passé, nous sommes en contact avec une réalité plus intense, aussi bien intérieurement qu'extérieurement. Cette réalité plus intense peut être ressentie en contemplant une fleur, un nuage ou la mer. Ou en méditant avec un mantra, un yantra ou un tantra. Quand nous nous fondons sur la réalité de ce qui est là et de ce qui n'y est pas, nous voyons le substrat spirituel derrière le voile de l'illusion physique — le tissu cellulaire de la vie elle-même. Le poète Blake pouvait donc voir l'univers dans un grain de sable bien avant que les savants n'inventent une théorie atomique pour décrire les parallèles entre les formations microscopiques et cosmiques. Le fait que la culture occidentale considère cette vision spirituelle comme un état altéré de la conscience est une preuve de la démence de cette culture. En fait, les illusions que nous projetons sur la réalité et que nous prenons pour la réalité sont l'état altéré. Il y a un malentendu quelque part !

Comment l'esprit fonctionne

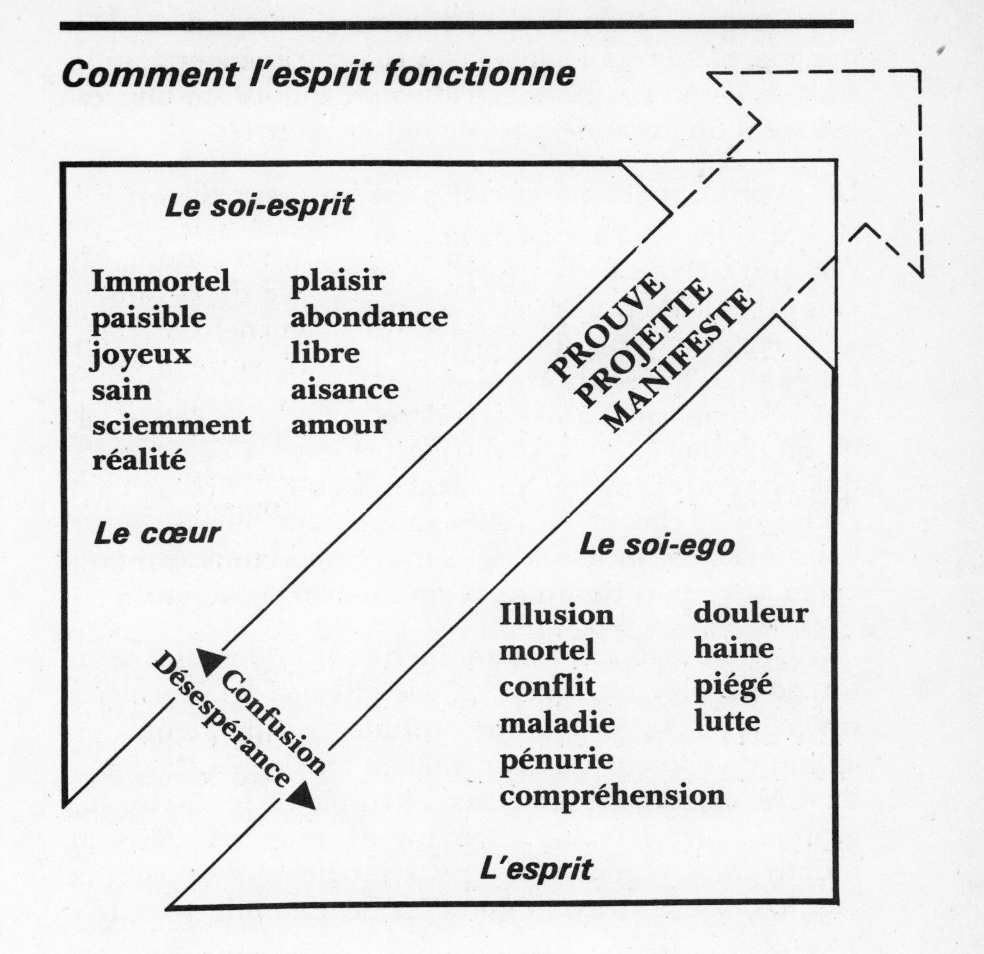

Les pensées sur lesquelles vous vous appesantissez sont les résultats que vous obtenez : Vous atteignez toujours votre but. Vous avez le choix dans votre façon d'aborder la vie et le monde : vous pouvez les aborder avec les illusions de l'ego, ou bien avec les réalités de l'esprit. Évidemment, comme la plupart des pensées sont subconscientes, les résultats que vous obtenez sont toujours le reflet de votre subconscient.

L'esprit déforme la réalité en manifestant l'esprit dans la matière au moyen de tournures mentales qui sont fausses. Le monde d'illusions qui en résulte est source d'une grande part de notre folie !

Un esprit ouvert est la clef pour un cœur ouvert !

Si votre esprit est fermé, votre cœur l'est aussi. La raison d'être de votre esprit est de penser, et plus vous êtes capable de prendre conscience de vos pensées, plus vous êtes « averti » (ou conscient). Plus vous savez que les pensées qui sont profondément ancrées en vous ont des résultats sur l'univers concret, plus vous êtes quelqu'un d'éclairé. Mais, si votre esprit est fermé, la porte qui ouvre sur la pleine conscience et sur l'éclaircissement est fermée à clef, et vous allez automatiquement projeter vos convictions inconscientes sur le monde comme si elles étaient des faits définitifs et immuables de la vie.

Chacun sait maintenant qu'une attitude positive est un atout précieux dans la vie. Beaucoup d'athlètes travaillent à se forger une attitude de vainqueur avec autant de vigueur qu'ils travaillent leur corps. Mohammed Ali en est un merveilleux exemple : « Je suis le plus grand ! » proclamait-il pour lui-même et à la face du monde, et il répétait cette pensée tellement souvent et avec tant de conviction que c'est devenu une « vérité » acceptée.

Avoir confiance, c'est avoir foi en quelque chose, et ce en quoi vous avez foi est instantanément doté de tous les pouvoirs.

C'est pourquoi la confiance en soi est si importante. Elle vous donne les pleins pouvoirs pour être la principale force créatrice de votre vie. Et que vous en soyez conscient ou non, c'est par la qualité de vos pensées que vous créez. Des pensées de première qualité produisent des résultats de première qualité. Des pensées médiocres produisent des résultats médiocres. Il faut réfléchir à ce qu'on pense avant de passer aux actes, que ce soit pour faire une table, ou écrire un roman, ou aller voir un film. Même l'origine de la vie s'appelle « conception » !

♡ ***Si vous vous rebellez et ne voulez pas être responsable de votre vie à ce niveau, si vous choisissez de « laisser les choses se faire », vous ne faites qu'inviter votre subconscient à diriger votre vie, à manifester automatiquement vos croyances antérieures.***

Si vous ne récupérez pas votre pouvoir naturel de croire en la vie, en l'amour, et en une existence de première qualité, vous vous démunissez de tout espoir et de tout pouvoir et vous devenez une victime professionnelle réceptive aux mythes collectifs de la décadence, de la dépression, et de la destruction. Si vous ne « possédez » pas votre propre pouvoir, vous laissez ceux qui sont en pleine possession de leur pouvoir créatif contrôler votre esprit — je veux parler, par exemple, de la publicité, des gens de la télévision ou des journaux.

Ce à quoi vous croyez profondément est ce que vous expérimentez dans votre vie. Les croyances que vous prenez à cœur sont les résultats que vous obtenez dans la vie. (Et si vous ne me croyez pas, vous avez raison également !) Si vous ne croyez pas au pouvoir de votre esprit, votre esprit se retrouve sans aucun pouvoir et devient une oubliette pour rêves non réalisés et vagues fantaisies. Quel gâchis !

Une expérience est le résultat concret d'une ou plusieurs pensées.

Ne vous y trompez pas — vous êtes responsable à cent pour cent de chaque aspect de votre vie. Ce que vous pensez de l'argent provoque vos résultats avec l'argent ; ce que vous pensez du sexe provoque vos résultats avec le sexe ; ce que vous pensez des relations provoque vos résultats avec les relations. Autrement dit, si vous êtes toujours en train de vous dire : « Personne ne m'aime », vous allez attirer des expériences qui vous confirmeront votre croyance. En fait, une expérience est simplement le résultat concret d'une pensée. Et s'il vous arrivait d'attirer quelqu'un qui vous aime vraiment, vous le rejetteriez, ou l'éviteriez, ou bien vous penseriez qu'il ment.

♥ **Chacun de nous a toujours raison, parce que chacun exprime toujours ce qu'il ou elle croit être vrai. Si vous croyez que la vie est coriace, vous avez raison. Vous rassemblerez tous les témoignages nécessaires pour vous convaincre — si ce n'est pas pour convaincre les autres — que la vie est une vraie bataille rangée. Si vous croyez que la vie est facile, vous avez également raison. Vous rassemblerez toutes les preuves nécessaires pour sentir combien la vie est facile. Ceci explique pourquoi des systèmes de croyances en totale contradiction peuvent être aussi bien documentés les uns que les autres. La question de savoir qui a tort ou qui a raison devient une question absurde quand on réalise que chacun a raison dans sa tête.**

Vos pensées sont plus que de simples conclusions que vous tirez de la vie ; elles sont les facteurs principaux qui causent vos expériences. Plus l'idée est profondément enracinée dans votre subconscient, plus elle vous semble « vraie ». (Et la profondeur des racines dépend du nombre de fois où vous vous êtes répété cette idée.) « Bien sûr que la vie est une bataille rangée. » « Bien sûr que la vie est facile. » « Bien sûr que personne ne m'aime. » « Bien sûr que tout le monde m'aime. » D'une certaine façon, votre vie est une prophétie qui s'autonourrit, un scénario secret et subconscient que vous plaquez sur la vie et que vous prenez pour la vie elle-même.

Si vous avez été une victime professionnelle toute votre vie et que vous comprenez tout à coup que tout ce qui est arrivé est de votre fait, vous allez être tenté d'arrêter de blâmer les autres et de vous mettre à vous blâmer vous-même. La question n'est pas là. Nous ne sommes pas en train de parler de responsabilité morale mais plutôt de responsabilité physique et métaphysique. Dire que c'est vous qui êtes la cause de votre vie (et non vos parents, ou votre pays, ou l'économie), c'est simplement proférer une loi de la nature tout aussi valable que la loi de la gravité. Porter un jugement moral à partir de cette information, c'est tout simplement vous punir de votre pouvoir personnel. Le fait est que vous *êtes* responsable, mais être responsable ne veut pas dire être coupable. Vous êtes innocent. Si vous avez fait certaines choses « mal » dans votre vie, c'était parce que vous « pensiez mal ». Il ne faut pas vous juger à partir de telles erreurs, il faut simplement en tirer leçon, et vite. Apprenez à partir de vos résultats. Devenez un détective éclairé, comprenez quelles pensées subconscientes produisent des effets indésirables dans votre vie. Puis changez ces pensées. Implantez des pensées venant de votre moi-esprit et laissez aller les pensées de votre moi-ego (voir p. 35). Ce système d'implantation de pensées — que l'on appelle parfois des affirmations — est un outil puissant et pratique pour changer votre expérience de l'amour et de la vie.

Opération-déviation n° 2

Écrivez toutes vos pensées négatives au sujet de (1) l'amour, (2) la vie, (3) votre corps, (4) les relations, (5) l'argent. Faites simplement des associations d'idées et remplissez autant de pages qu'il faudra. Quand vous sentez que vous vous êtes réellement déchargé l'esprit, chiffonnez les pages et jetez-les. Comprenez bien que ces idées négatives ne méritent que la poubelle : vous pouvez donc les y balancer. Cette opération-déviation peut peut-être ne pas libérer toutes vos pensées négatives ; elle vous fera cependant pressentir qu'il est possible de « laisser aller », et que vous commencez à prendre votre vie en charge.

Arrivé à ce stade, vous êtes probablement en train de vous dire : « Oh non, pas encore un qui pense positif ! » Vous avez toute ma sympathie, soyez-en sûr. Je suis également consterné par la plupart des philosophies simplettes basées sur la pensée positive. La plupart des philosophies de pensée positive sont basées sur l'idée que vous avez juste à étaler une couche de pensées positives sur vos conditionnements négatifs, et hop !, tous vos problèmes vont disparaître. Cette sorte de philosophie engendre des personnes qui vont et viennent en souriant constamment, mais vous avez un mouvement de recul quand vous êtes près d'elles. Vous avez envie de reculer parce que vous sentez que tout n'est pas clair sous ce sourire — il y a des choses qui n'ont pas été regardées de près, et encore moins jetées à la poubelle. La pensée positive traditionnelle, c'est comme un glaçage positif qui serait étalé sur un gâteau négatif. La première bouchée peut avoir bon goût, mais l'arrière-goût est affreux.

La thérapie du cœur ouvert est basée sur un changement d'attitude, et non pas sur la pensée positive. Étant donné que les attitudes deviennent très vite des vérités-par-expérience, il faut dé-programmer le subconscient, dé-programmer les attitudes négatives auxquelles il se cramponne obstinément. Le système d'implantation de pensées vous permet de planter des idées positives dans le jardin qu'est votre subconscient, et d'arracher les mauvaises herbes que sont les idées négatives. Si vous êtes un jardinier méticuleux, vous pouvez déraciner ces vieilles mauvaises herbes et avoir un jardin qui regorge de fruits, et une vie florissante.

La façon la plus efficace d'implanter des idées est de le faire au moyen de répétitions. (Après tout, vous avez d'abord planté vos pensées négatives au moyen de répétitions.) Une fois que vous avez écrit un implant, tracez une ligne verticale au milieu de la page. Dans la partie gauche de la page, écrivez l'implant, et récrivez-le, plein de fois, environ vingt fois par jour. La partie droite de la page est votre colonne réponse. Chaque fois que vous écrivez l'implant, prenez une grande respiration et écrivez votre première réaction. Ces pensées qui résistent sont les mauvaises herbes de votre subconscient. Ces mauvaises herbes peuvent être éliminées quand on les remarque, quand on prend conscience de ce que l'on ressent, et qu'on se retourne vers la pensée positive que l'on souhaite enraciner à la place des mauvaises herbes.

Implants pour vivre l'amour

Quelques attitudes positives que vous pouvez vouloir commencer à implanter sont :

Peu importe : je m'aime !

Mon corps est un lieu sécuritaire, confortable, et agréable.

Je mérite des relations qui sont plaisantes, faciles, et qui me soutiennent.

Ce que je suis est suffisant, ce que j'ai est suffisant, ce que je fais est suffisant.

Je récupère maintenant tout mon pouvoir personnel.

J'ai tout ce qu'il faut pour avoir tout ce que je veux.

Le changement d'attitude : un procédé à deux voies

Implant : nouvelle pensée	***Mauvaise herbe : ancienne pensée***
On m'aime	Dis pas d'connerie !
On m'aime	Qui donc ?
On m'aime	Pas assez
On m'aime	Alors, pourquoi est-ce que les gens me déçoivent ?
On m'aime	On m'aimait quand j'étais enfant
On m'aime	Il faut se battre pour être aimé !
On m'aime	J'aimerais que ça soit vrai !
On m'aime	Et pourquoi je suis séparé, alors ?
On m'aime	Tristesse
On m'aime	J'ai mal aux épaules
On m'aime	Quelques personnes
On m'aime	Je ne fais pas confiance aux gens
On m'aime	Je ne me fais pas confiance
On m'aime	Je ne fais pas confiance à l'amour
On m'aime	Je suis fatigué
On m'aime	Beaucoup de gens se préoccupent de moi
On m'aime	Peut-être
On m'aime	Ça fait du bien
On m'aime	Oui
On m'aime	Dieu sait que c'est vrai

Concentrez-vous sur le positif. Regardez la colonne réponse, mais ne vous y arrêtez pas. Rappelez-vous : tout ce qui remonte en vous est sur la voie de sortie, et respirez consciemment quand vous écrivez l'implant.

Chapitre 4

Quelques autres choses, à propos de l'esprit...

Si vous commencez à vous y perdre dans toutes ces choses à propos de l'esprit, relaxez, et sachez que ça marche. Si vous retournez au diagramme de l'esprit (p. 35), vous remarquerez que « confusion » se situe entre votre moi-esprit et votre moi-ego. La raison en est que la confusion représente une sorte d'entre-deux, un état dans lequel votre ancien système de croyances a autant de poids que vos nouvelles attitudes. Être en état de confusion veut dire que votre ancien esprit est en train de lâcher prise et que votre nouvel esprit prend racine. N'ayez donc pas d'inquiétudes et ne luttez pas contre la confusion. Lutter vous ferait retourner à l'ego. Vivez tout simplement votre confusion. Acceptez-la comme un stade de contradiction. Et continuez à vous concentrer sur vos nouveaux implants.

Il vous faut parfois tomber en pièces détachées pour savoir de quoi vous êtes réellement fait.

On peut dire la même chose de la désespérance. Bien que tout semble sombre quand vous êtes en état de désespérance, l'obscurité n'est rien d'autre qu'une nouvelle aube déguisée. « Désespérance » veut dire que vous perdez vos espérances, et les espérances sont l'opium du moi-ego. Tant que vous êtes empêtré en elles, vous pensez encore que quelque pouvoir magique en dehors de vous peut corriger un état. Quand vous commencez à les perdre, vous commencez le voyage vers deux aspects de votre moi-esprit : la foi et la certitude. Ne sombrez donc pas dans la désespérance quand les choses vous semblent lugubres. Acceptez de voir que la façon dont les choses vous semblent être et la façon dont elles sont réellement peuvent être totalement différentes. Acceptez la sensation quand elle monte, et expulsez-la par des respirations. Soyez patient. La patience dure toujours plus longtemps que la désespérance. Et rappelez-vous : l'heure la plus sombre est juste avant l'aube.

Votre moi-esprit est la vraie voix de votre cœur, votre intuition divine, l'intelligence-guide à laquelle vous pouvez faire confiance quand vos défenses sont tombées et que vous êtes en plein dans le moment présent. Votre moi-esprit est la réalité, mais vous la prenez pour le rêve car, quand vous étiez enfant, on vous a appris à écarter cette partie de vous-même, à ne pas tenir compte de vos visions et de vos intuitions. Vous êtes devenu quelqu'un de bien ajusté socialement parlant, mais à quel prix !

Votre moi-ego est la voix de votre esprit, la voix de la raison, la partie de vous qui calcule et classifie. Votre ego n'est pas mauvais. Il s'est développé pour vous protéger et pour assurer votre survie dans un monde que vous ne compreniez pas. En tant que tel, votre ego — tout comme votre esprit — repose sur l'amour.

Votre moi-esprit est la vérité en laquelle vous avez appris à ne pas croire. Votre moi-ego est le mensonge auquel on vous a appris à faire confiance. Souvent, les gens qui vivent au niveau de l'esprit sont traités de rêveurs par les gens qui vivent au niveau de l'ego. La vérité, c'est que le moi-ego est le rêve pris pour la réalité. (Notre obsession des films d'horreur repose sur le besoin de nous éveiller sain et sauf du cauchemar. Les films d'horreur sont une excellente occasion de diminuer la peur de l'inconnu. Il n'y a rien de si terrible en nous ou en dehors de nous dont nous ne puissions pas venir à bout en hurlant et pleurant et respirant à fond. Ce dont nous avons le plus peur, en réalité, c'est de la joie et de la vitalité ensevelies sous la peur et la torpeur.) L'abandon de l'illusion représente une mort pour l'ego, et l'ego tentera de vous attirer à nouveau à lui.

Il est important de vous rappeler que vous êtes à la fois le rêveur et celui dont on rêve. Si vos flèches (voir p. 43) transportent des pensées de l'ego, vous êtes alors le chasseur qui se bat pour survivre dans un monde auquel vous ne faites pas confiance. Si, au contraire, vos flèches sont porteuses de vos inspirations spirituelles, vous êtes un guerrier spirituel et une force avec laquelle ceux de la planète doivent compter.

Si un esprit ouvert est la clef pour un cœur ouvert, les pensées de première qualité sont la clef pour une vie de première qualité. Par « première qualité », j'entends tout simplement des pensées qui génèrent l'amour pour vous-même et pour les autres, l'amour, ce sentiment de bien-être pénétrant. Les pensées les plus éclairées sont celles qui contiennent le plus d'amour. Vous pouvez devenir une force d'amour dans le monde si vous habitez le royaume des pensées d'amour et observez les autres sans vouloir vous aligner sur leur énergie. Quand votre ego essaie de vous tenter avec la négativité, rappelez-vous que les pensées sont simplement des pensées, et que vous pouvez facilement les libérer en vous concentrant sur des implants de votre moi-esprit et en déchargeant l'énergie par laquelle on s'accroche à d'anciennes idées.

Votre force est plus forte que votre faiblesse.

Plus vous vous concentrez sur l'amour, plus l'amour prendra de place dans votre vie. Prenez par exemple cette pensée de première qualité : « Le monde est un lieu merveilleux et sûr où il fait bon vivre ! » Plus vous pensez cette pensée, plus vous remarquez de gens qui aiment leur vie, et plus ils partagent leur joie, plus l'épidémie s'étend. C'est sûr que nous ne devons cependant pas ignorer ce qui est négatif — les pauvres, les gens qui ont faim, les prisonniers — sinon les problèmes auxquels nous faisons face prendront davantage d'ampleur. Nous devons être conscients de ces problèmes et insister avec davantage de conviction sur les idéaux dont nous cherchons à témoigner. L'important, c'est d'appuyer sur le plateau de l'amour dans le monde — et non sur celui de la haine.

Vous devez être prêt à « y aller » et à faire en sorte que vos rêves changent les choses, prêt à participer à cent pour cent à la vie, ce dont je parlerai plus loin. Pour l'instant, sachez ceci : tant que vous n'accepterez pas de jouer pleinement le jeu de la vie, toute votre connaissance éclairée et tout votre idéalisme ne sont qu'un jeu de l'esprit que votre ego a monté de toutes pièces pour vous divertir et faire en sorte que vous soyez complètement à côté de votre vie. Vous ne pouvez pas vous cacher jour et nuit dans un placard, y écrire un million de fois des pensées de première qualité, et espérer ouvrir la porte sur le paradis terrestre au matin. La plupart d'entre nous n'avons pas encore atteint ce niveau de maîtrise !

Si votre esprit est fermé, votre ego tient votre vie à la gorge. Plusieurs centaines de milliers de pensées vous passent probablement par la tête chaque jour, dont la plupart sont inconscientes. Beaucoup de ces pensées reviennent tous les jours : « C'est l'heure de s' réveiller ! », « Faut aller travailler ! » « Faut qu'j'attrape le train ! ». Ces pensées superficielles sont des ordres automatiques auxquels vous vous êtes programmé à obéir, même si vous préféreriez probablement ne pas avoir à le faire. Ce niveau de pensée est généralement basé sur la lutte, la douleur, et le besoin d'être approuvé pour pouvoir survivre.

En dessous de ce niveau de pensée se trouve le niveau de l'impuissance — des pensées du genre « J'peux pas m'lever », « J'vais pas pouvoir finir ce travail », « J'vais rater l'train ». Si vous descendez encore d'un niveau, vous arrivez aux pensées basées sur le ressentiment et la revanche : « Je n'veux pas m'lever », « Je n'veux pas aller travailler », « Je n'veux pas prendre ce maudit train ! »

Opération-déviation n° 3

Écrivez la phrase suivante en haut d'une feuille et terminez-la : « Si je savais que je peux y changer quelque chose, une chose que je ferais et que je ne fais pas maintenant dans ma vie, c'est... » Écrivez tout ce qui vous passe par la tête. Êtes-vous prêt à planifier ces choses dans votre agenda ?

Si on descend encore plus profondément dans le subconscient, on atteint le niveau du traumatisme de la naissance, qui produit des pensées telles que : « Ça fait trop mal d'essayer ». Vous en êtes au point où vous mettez le doigt sur quelques croyances fondamentales au sujet de vous-même et de la vie, sur des pensées du genre « Ça n'en vaut pas la peine », « Je n'mérite pas de vivre », « Je n'suis pas bon », « Il y a quelque chose qui ne va pas bien en moi », « Mon amour blesse les gens », ou « Je n'vais jamais y arriver ». C'est le niveau de la loi primale, le facteur dominant le plus négatif de votre conscience ! Cette pensée toute-puissante est généralement une conclusion que vous avez tirée à votre sujet et au sujet de la vie lors de votre naissance, c'est une généralisation en laquelle vous avez toujours cru et que vous n'avez jamais libérée. Votre loi primale constitue une part tellement fondamentale de votre personnalité qu'elle semble être davantage un fait de la vie qu'une simple pensée. Votre loi primale est quelque chose que vous portez dans chaque cellule de votre corps ; elle est très précisément « l'œil » avec lequel vous voyez la vie. Votre loi primale peut être difficile à localiser car votre ego ne veut pas être complètement démantelé.

Les lois primales sont des sentiments très puissants que nous défendons avec acharnement et que nous ne libérons qu'à contrecœur. Si vous pensez : « Je dois lutter pour survivre » parce que votre première lutte a eu lieu au moment de franchir le passage pour la naissance, vous ne renoncerez pas facilement à cette pensée, même si vous voyez bien que le fait d'y croire induit davantage de lutte dans votre vie. C'est une position tout à fait raisonnable quand on tient compte des faits que, premièrement, cette pensée a fait partie de vous tellement profondément que, maintenant, elle a pris corps à un niveau cellulaire, et que, deuxièmement, c'est une question de vie ou de mort. Si, dans votre esprit, la lutte est une nécessité pour vivre, et si, dans votre corps, les cellules ont été programmées avec cette pensée, ce serait une folie de changer d'avis avant d'avoir des preuves suffisantes que votre corps y survivrait. Autrement dit, votre corps résistera à de nouvelles idées jusqu'à ce qu'il sente que ces idées ne sont pas dangereuses pour lui.

Pourquoi lutter pour mériter l'amour que vous méritez déjà ?

Les ramifications de votre loi primale sont monumentales. Si vous croyez qu'il faut lutter pour survivre, vous lutterez au travail, dans vos loisirs, dans vos relations, pour votre santé, pour tout et n'importe quoi. Si vous croyez que vous ne pouvez faire confiance à personne (autre variante primale), vous ne ferez pas confiance à vos amis, ni à votre patron, ni à vos collègues, ni à vos amoureux, ni à vos enfants ou à vos parents. Étant donné que votre personnalité tout entière s'est formée en réaction à de telles pensées, démanteler ce système primal de croyances n'est pas une petite affaire, et même la simple reconnaissance de ces pensées peut demander un travail de détective. Par exemple, si vous croyez que vous faites toujours mal à la personne que vous aimez parce que vous avez causé la douleur de votre mère à votre naissance, il se peut que vous ayez développé un style de vie réactif.

Niveaux de l'esprit

Pensée	***Origine***
« Il faut que j' fasse ça ! »	**Lutte pour survivre, approbation.**
« Je n' peux pas faire ça ! »	**Impuissance.**
« Je n' veux pas le faire ! »	**Ressentiment.**
« Tu n' peux pas m' forcer à l' faire ! »	**Revanche.**
« Ça fait trop mal d'essayer ! »	**Naissance.**
« Je n' mérite pas de vivre ! »	**Culpabilité, loi primale.**
« C'est fichu de toute façon ! »	**Mort.**

Tableau de la loi primale

Loi primale	Comportement
« Je n' peux pas y arriver. »	Lutte, inachèvement, forte pulsion pour réussir, échec.
« Mon amour fait mal aux autres. »	Tempérament violent, fort besoin d'aider les autres (afin de compenser la culpabilité), gars sympa ou gentille fille qui agissez en protégeant ceux que vous aimez contre vous-même.
« Il y a quelque chose qui n' va pas bien en moi. »	Sujet à la maladie ou à l'accident ; syndrome du perfectionniste.
« Personne ne m' remarque. »	Personne calme et passive, qui cache beaucoup, ou encore : un fort besoin de se faire remarquer, d'attirer l'attention ; syndrome de la vedette.
« On n'me comprend pas. »	Sujet dont la communication est non claire ; trop verbal, insatisfait des réponses, trop inquiet des réactions des autres.
« J' suis moche. »	Personne qui est, ou bien « mal mise » en apparence, ou bien vaine, essayant de se cacher derrière une fausse beauté, peut-être artistique (pour se faire une beauté de remplacement).
« J' suis une vraie déception. » (Si vous vous êtes senti non désiré, ou du mauvais sexe.)	Vous faites les choses à moitié, ou encore : vous avez un fort besoin de faire plaisir à tout le monde afin de compenser votre peur de les décevoir.
« J' suis stupide. »	Ou bien mauvais élève, ou bien un fort besoin de comprendre et d'avoir l'air intelligent, sans pourtant jamais vraiment y croire.
« Je n'veux pas être ici. » (« Je suis un non-désiré. »)	Fort *pattern* de départs : déménage très souvent, lâche son travail ou ses relations.

Loi éternelle

« Je peux survivre à la relaxation. »
« J'y suis arrivée. »
« Prendre les choses en douceur aide à ma réussite. »

« Je provoque moi-même la douleur et le plaisir dans ma vie. Les autres le font dans leur vie. »
« Mon amour me convient parfaitement ; il convient aussi aux autres. »
« Mon amour est une force de guérison dans le monde. »

« Je suis parfait juste comme je suis. »

« Je reconnais que je suis d'essence divine, et les autres aussi. »

« Je dis tout ce que j'ai à dire, et je le dis clairement. »
« Ce que je dis atteint toujours son but. »

« Je suis une personne belle et aimable, attirante pour moi-même comme pour les autres.

« Je suis une très belle surprise. »
« Je suis un cadeau de Dieu pour le monde, et le monde est un cadeau de Dieu pour moi. »

« Ma connexion avec l'intelligence infinie n'a pas de limites. »
« Je suis plus intelligent que je ne le pense. »

« Je suis toujours exactement là où il faut quand il le faut. »
« Je ne cours aucun danger à rester ici. »
« J'en fais partie. »

Il se peut que vous soyez quelqu'un de super-gentil, de très doux et effacé. Vous êtes peut-être professeur, ou travailleur social, ou médecin, quelqu'un dont la vie est consacrée à aider les autres. Si votre plus grande peur est de faire mal aux gens, il est logique que vous cherchiez plutôt à les aider, à la fois en exutoire à votre culpabilité primale et pour prouver à vous-même et au monde entier que, après tout, vous êtes une personne bonne. Mais, quelque part dans votre vie, et probablement avec la personne dont vous êtes le plus proche, votre loi primale va ressortir et vous rappeller que, en fait, vous faites du mal à ceux que vous aimez. Peut-être que vous allez vous retrouver divorcé, tout seul, et enseveli sous votre travail qui consiste à aider les autres.

Si votre loi primale est : « Personne ne me remarque », parce que vous êtes restée longtemps toute seule à la crèche après votre naissance, vous allez peut-être devenir actrice, ou mannequin, ou danseuse aux seins nus pour obtenir l'attention dont vous avez tant besoin. (Voir le tableau de la loi primale p. 54, 55.)

Les gens pensent parfois que, s'ils ne sont plus fidèles à leur loi, ils vont perdre leur motivation à travailler et leur survie sera menacée. Cela, c'est juste le moi-ego qui parle, qui essaie de vous convaincre que, puisque vous êtes coupable, vous devez prouver le bien-fondé de votre existence. Une fois que vous voyez l'ego en pleine gloire, vous pouvez commencer à rire de tous ses sales tours. La loi éternelle n'est rien d'autre que la version positive de la pensée, et transformer votre loi primale en votre loi éternelle ne veut pas dire que vous allez perdre votre motivation. Au contraire, vous serez motivé à aider les autres et à partager l'amour de par votre bonté naturelle, et non pour vous acquitter de votre culpabilité en travaillant.

Passer du bon côté de votre loi provoque une modification substantielle de la qualité de votre vie ! La façon de passer du bon côté de la loi consiste à, tout d'abord, reconnaître que vous êtes du mauvais côté et qu'il n'y a aucun danger à changer d'avis. Ne défendez pas votre lutte tout en souhaitant en votre for intérieur que la vie soit plus facile. Avouez-vous (et avouez aux autres) à quel point vous êtes attaché à votre loi. Cet aveu est un choix qui vous amène vers la conscience et vous éloigne de l'ignorance. Connaître votre propre esprit, c'est comprendre votre vie tout entière !

Opération-déviation n° 4

Trouvez votre loi primale ! Faites une liste de vos cinq pensées les plus négatives à propos de vous-même. Remarquez comment votre esprit essaie d'éviter cette opération-déviation. Vous vous dites peut-être : « Je n'peux pas faire ça », sans même réaliser que « Je ne peux pas le faire » est votre loi primale. Ou peut-être que vous rejetez trois pensées sur les cinq, et vous retrouvez avec vos deux pensées principales. Votre esprit dit « Je n'arrive pas à me décider ! » Voilà votre loi, celle qui vous garde indécis tout au long de votre vie. Encerclez votre loi primale, cette pensée omniprésente que vous ne voulez pas voir, cette bulle à l'intérieur de laquelle vous naviguez dans la vie. Une fois que vous l'avez trouvée, laissez-vous la ressentir. Descendre tout au fond de l'apparente réalité de votre loi primale est une phase importante dans le processus de sa libération. Sentez l'énergie dans votre corps quand vous regardez cette pensée. Fonctionnez toute une journée en regardant en toute conscience la vie à travers cette pensée. Observez simplement comment est la vie en réaction à cette pensée. N'oubliez pas de respirer profondément. Quand vous sentez que vous avez exécuté cette partie de l'opération-déviation, passez à la phase suivante. Énoncez votre loi éternelle, qui est la simple variante positive de votre loi primale. Par exemple, si votre loi primale est : « Il y a quelque chose qui ne va pas bien en moi », votre loi éternelle devrait être quelque chose comme : « Je suis juste parfait comme je suis ! » Si votre loi primale est : « Je fais toujours mal à ceux que j'aime », votre loi éternelle pourrait être « Mon amour est une force de guérison dans toutes mes relations. » Regardez le tableau de la loi primale (p. 54, 55) pour avoir des idées. Et maintenant, commencez à travailler consciemment avec votre loi éternelle. Écrivez-la vingt fois par jour, avec une colonne réponse où vous vous déchargerez de tout ce qui s'oppose subconsciemment à ce que cette nouvelle pensée prenne totalement corps. Puis, fonctionnez en regardant la vie à travers cette nouvelle pensée. Voyez quelle différence cela fait.

Admettez que vous vous êtes répété votre loi primale tant et tant de fois en pensée, paroles, et actions, qu'elle ressemble davantage à une loi naturelle qu'à une dépendance personnelle. En fait, si vous pensez que la lutte est nécessaire, vous allez tout naturellement attirer et être témoin de luttes partout. Votre esprit est comme un aimant, il attire toujours les faits dont il a besoin afin de se raccrocher à lui-même.

Après avoir reconnu votre allégeance à la loi, sentez votre désir de changer votre vie et laissez ce désir se transformer en un engagement à promulguer une nouvelle loi, une loi éternelle. Il vous faut avoir en votre cœur un profond désir de changer votre façon d'être, afin de provoquer un changement dans votre expérience.

Si votre vie doit changer, il vous faut changer votre esprit ! C'est pourquoi il est si important de garder un esprit ouvert. Cela vous donne le pouvoir d'être créateur. Pour passer du bon côté de la loi, envisagez d'y être.

Apprenez à croire en une nouvelle réalité. Affirmez, du plus profond de votre cœur : « Je peux survivre, avec ou sans lutte », « J'ai le droit d'exister », « Il n'y a pas de danger à prendre les choses en douceur », « Mon amour me convient parfaitement, et il convient aux autres ». Plantez votre loi éternelle dans le jardin qu'est votre subconscient, et répétez-vous des pensées de ce genre jusqu'à ce qu'elles prennent racine au plus profond de votre être. Pendant ce temps, sarclez toutes les pensées opposantes.

Si vous prenez soin de votre esprit, votre esprit prendra soin de vous. Une fois que vous aurez ouvert la porte, votre esprit répondra aux questions que vous lui poserez. Soyez un détective habile et interrogez votre esprit comme s'il était un témoin capital. Ce procédé d'autointerrogation est très précieux pour déraciner les éléments négatifs de la conscience. Si vous avez un problème dans votre vie — disons, par exemple, que vous êtes une femme et que les hommes que vous aimez semblent toujours vous quitter —, endossez la responsabilité d'avoir causé le problème. Bien que votre moi-ego veuille vous garder victime, votre moi-esprit sait maintenant que c'est lui qui a tout provoqué. S'il y a dans votre vie une situation indésirable, une situation que vous n'avez pas consciemment choisie, reconnaissez que vous devez avoir une croyance subconsciente très forte qui joue un rôle dans l'affaire. C'est alors le moment de vous autointerroger. Écrivez sur une feuille : « La raison pour laquelle je fais les hommes me quitter est... » et faites la liste de toutes les pensées qui vous viennent à l'esprit à ce sujet. Quand vous trouverez les pensées qui sont le fond de l'affaire, votre corps réagira d'une façon telle que vous ne pourrez pas vous méprendre. Peut-être est-ce simplement votre loi primale qui éloigne les hommes de vous ? Peut-être êtes-vous encore en deuil de votre père qui est mort quand vous aviez dix ans ? Quand vous mettez le doigt sur une ou deux causes fondamentales, faites-en des pensées positives et implantez-les dans votre subconscient à coups de répétitions. Si c'est une question de deuil, travaillez avec une pensée comme : « Maintenant, je libère mon père pour toujours », et respirez profondément pendant que vos sentiments font surface. L'autointerrogation est un aspect important de la dépuration du moi.

Si, sans culpabilité, vous prenez la responsabilité de ce que vous avez provoqué dans votre vie et balayez vos croyances négatives, vous allez produire un changement substantiel d'attitudes dans votre vie et vous manifesterez tout naturellement les vrais désirs de votre moi-esprit, dans lesquels est inclus votre véritable but dans la vie.

Tableau d'identité

Qui vous prétendez être	**Image de soi**	**M. Gars sympa, Mlle Gentille fille**
Qui vous avez peur d'être	**Loi primale**	**Quelqu'un de pas bien**
Qui vous êtes réellement	**Loi éternelle**	**Un être innocent, bon et aimant**

Le tableau aide à expliquer comment nous fluctuons au cours de la vie, prétendant être bons mais ayant peur que les autres ne découvrent ces mauvais côtés qui font partie de nous. La plupart des gens vivent en choisissant soigneusement quelles parties d'eux-mêmes ils vont dévoiler. Si vous souhaitez que quelqu'un vous aime, vous allez montrer les traits de votre caractère qui sont à votre avis les plus aimables. Ceci semble logique, mais vous êtes immédiatement piégé. Les parties de vous-même que vous cachez à ceux que vous aimez deviennent des murs autour de votre cœur, et vous ne pouvez pas vous abandonner complètement à l'amour si une partie de vous est occupée à protéger votre moi caché. Je recommande toujours de faire ce que Mallie (ma femme) et moi avons fait quand nous nous sommes rencontrés : montrez d'abord le pire de vous. Laissez votre partenaire voir toutes ces « horribles » choses qui sont en vous. Vous n'aurez alors jamais rien à cacher dans votre relation. Bien plus : vous saurez que votre partenaire vous aime réellement si il ou elle accepte ces traits de votre caractère. Vous verrez également très vite que vos frayeurs au sujet de qui vous êtes, et que ce jeu de gars sympa ou gentille fille que vous jouez en compensation sont réellement inutiles — que vous êtes, en fait, une personne bonne qui a l'intention d'aimer.

La famille, ça veut dire : s'aimer l'un l'autre, même quand il y a des divergences d'opinions.

À mesure que vous prenez davantage conscience de la qualité de vos pensées, à mesure que vous ouvrez votre esprit à des possibilités plus élevées, souvenez-vous de respecter les autres quel que soit l'endroit où ils se trouvent sur le chemin de la vie. Un des secrets pour garder votre cœur ouvert est d'honorer votre propre système de croyances tout en aimant les autres, que leurs idées concordent ou non avec les vôtres. Même dans la meilleure des familles il peut y avoir une différence considérable d'opinions. En fait, il n'est pas nécessaire que des pensées contradictoires engendrent une guerre ; elles peuvent être l'occasion de faire évoluer des idées à un niveau encore plus élevé, et le bénéfice en sera partagé entre davantage de gens.

Qu'importe qu'il soit plus ou moins éclairé, tout système de croyances devient un piège à partir du moment où il devient une excuse pour fermer son cœur aux autres. Pour que l'amour continue à circuler dans votre vie, vous devez faire passer la compassion pour vos semblables avant vos jugements. Nous avons tous nos propres idées. L'esprit est continuellement en train d'évaluer, de juger, de comparer. Une fois que vous êtes sûr de votre point de vue, vous pouvez aller à un niveau plus élevé où vous reconnaîtrez que vos opinions ne sont rien d'autre que des opinions. Ne les laissez pas interférer avec l'amour que vous avez de vous-même et des autres. Vous avez droit à vos opinions, et tous les autres ont droit aux leurs !

Fondez votre morale sur la priorité à l'amour. Que l'amour soit le rocher sur lequel vous édifiez votre morale. Je dis parfois à mes élèves : « Je préfère gagner l'amour qu'avoir le dernier mot. » Je veux dire par là que, quand je me retrouve en plein milieu d'une différence d'opinions, il est souvent pratique et fructueux d'abandonner tout ce que j'ai investi pour avoir raison et de céder à l'amour.

Les premières fois où j'ai rencontré ma femme, nous avons vite réalisé que nous aimions tous les deux avoir raison. Cet attachement à nos propres croyances avait déjà engendré des conflits considérables dans nos relations précédentes, et nous savions que nous ne voulions pas répéter ce pattern. Alors, nous avons inventé un jeu : le jeu du jour où j'ai raison, que nous avons partagé avec des milliers de gens depuis. Dans ce jeu, l'un des partenaires « a raison » pendant un jour ou une semaine, et l'autre approuve ce qui est dit. Peu importe ce que la personne qui « a raison » dit. Même si, par une chaude journée d'août, elle dit : « Regarde, il neige », le partenaire doit approuver. « Hé, t'as raison ! Faisons un bonhomme de neige. » Ce jeu transforme en plaisanterie la question d'avoir raison ou tort, et il vous donne l'occasion de voir à quel point votre partenaire peut être brillant. Je vous recommande d'essayer ce procédé, en changeant fréquemment les rôles, jusqu'à ce que la question raison/tort perde sa charge émotive. La chose capitale à se rappeler est que l'amour est plus précieux que la guerre, et que le champ de bataille soit dans votre esprit, dans votre relation, ou bien dans deux pays, la mission de faire la paix commence en dedans de vous-même. Ce ne sera que quand vous aurez abandonné la bataille intérieure que vous pourrez être un générateur de paix.

Si vous avez une passion pour la paix, vous êtes une force avec laquelle ceux de la planète doivent compter.

Chapitre 5

Vous ne ressentez rien ? Alors vous ne guérirez pas !

La plupart des gens que je rencontre souffrent d'une grave anesthésie émotionnelle. Ils se sont coupés de leurs émotions pendant si longtemps et si régulièrement qu'ils ne savent presque plus ce qu'ils ressentent. Quand une émotion intense commence à faire surface, ils retiennent leur souffle, reflouant littéralement le bioxyde de carbone dans leur sang et leurs cellules et provoquant ainsi un intense engourdissement des cinq sens. Une grande partie de ce qu'on prend pour des signes de vieillissement est, à mon avis, l'effet cumulatif d'années d'anesthésie émotionnelle.

Vous ne pouvez pas guérir ce que vous ne sentez pas.

Les émotions sont de l'énergie qui est propulsée à travers le corps par des pensées très précises ; ces pensées sont généralement des souvenirs d'expériences non totalement vécues. Par exemple : votre amoureux part pour un voyage d'affaires. Tout votre corps est rempli d'une tendre énergie d'amour, mais le souvenir de la mort de votre père vous revient subconsciemment en mémoire (votre père est mort pendant un voyage d'affaires quand vous étiez enfant) ; vous commencez alors à ressentir la douleur que vous n'avez jamais libérée, et dans votre esprit l'amour se confond avec la perte. Et alors, vous appelez cette émotion « tristesse ».

Vous êtes prêt à aller faire un tour sur les montagnes russes. Une amie se tourne vers vous et dit : « Oh la la ! Ça, c'est chouette ! » Vous aussi vous trouvez que c'est chouette : vous sentez votre corps qui anticipe le plaisir et trépigne déjà. Mais vous vous souvenez de cette fois où vous avez éprouvé des sensations identiques : vous étiez allé faire de l'équitation, c'était chouette, mais vous êtes tombé de cheval et vous vous êtes fracturé la jambe. Alors, maintenant, vous êtes prudent. « Peur » est le nom que vous avez appris à donner à ce genre d'excitation.

Les émotions dépendent de qui ressent. Colère pour l'un, terreur pour l'autre. Cela dépend des associations que vous faites entre (1) le stimulus, et (2) la forme particulière d'énergie que vous sentez dans votre corps.

Toute émotion est une sensation de vitalité ; si on ne l'étouffe pas, elle amplifie l'amour.

Une chose est certaine à propos des émotions : l'énergie qui est en leur centre est une force de guérison, et si on ne l'étouffe pas, on est envahi d'un sentiment de bien-être pénétrant : l'amour. N'importe qui ayant pleuré ou crié un bon coup et repris pied de l'autre côté peut en témoigner.

Tout ce que vous ressentez est valide.

Tout ce que vous ressentez est valide ! Quand on était enfants, on était souvent punis pour ce que l'on ressentait. Nos parents auraient fait n'importe quoi pour nous faire taire. Un bébé pleure, une mère lui fourre un biberon dans la bouche. Un garçon de six ans hurle après son père, il est envoyé dans sa chambre sans manger. Dans la plupart des familles il y a un code acceptable de répression des émotions, et ce code dépend du niveau de confort des parents. On apprend très tôt qu'exprimer ses émotions peut être une entreprise risquée qui mène à la séparation de ceux qu'on aime. Nous sommes donc programmés à nous contrôler, ce qui signifie souvent refouler nos émotions dans les cellules de notre corps ; c'est un acte malsain qui cause davantage de tension, de frustration et de douleur dans le corps. Les émotions doivent sortir si nous devons être entier à nouveau. Le dilemme des émotions est celui-ci : comment passer au travers d'elles — ou comment les laisser passer au travers de nous ?

L'amour est le purifiant suprême. L'amour veut déloger toute votre douleur, toute votre misère, et vous faire sentir que vous êtes à nouveau entier. Cependant, plus vous êtes aimé et plus vos émotions émergent. L'amour vous active dans le but de vous guérir, mais moins vous faites confiance à l'amour et plus vous allez vous cramponner obstinément à votre résistance. Vous aurez l'impression que l'amour est une plage de sables mouvants et que votre ego vous tend la main pour vous en sortir.

C'est comme ça que ça se passe. Vous attirez l'amour dont vous avez besoin pour vous guérir, mais quand vous vous retrouvez sur la ligne, vous préférez reculer plutôt que de risquer une capitulation totale. La douleur que vous ressentez est le résultat de l'effort que vous devez faire pour vous accrocher à votre ego quand votre esprit crie : « Lâche donc, idiot ! »

Toute contrariété est une mise en scène. Vous montez subconsciemment une situation dans laquelle toutes vos émotions étouffées et non résolues vont pouvoir être activées, mais quand les émotions arrivent à la surface, vous n'avez pas la sécurité ou le support nécessaire pour passer au travers. Vous les ravalez donc jusqu'à la prochaine fois. Souvent, vous blâmez votre partenaire pour votre manque de courage. Vous vous retenez de demander ce que vous voulez, vous rétractez votre amour, et vous en voulez à votre partenaire de ne pas lire dans vos pensées. Ce syndrome de vous retenir, de rétracter, et d'en vouloir à l'autre est très subtil et très dangereux pour les relations. La solution consiste tout simplement à être franc dans votre communication. Les gens qui ne demandent pas ce qu'ils veulent n'ont vraiment pas le droit de se plaindre de ne pas l'obtenir.

Opération-déviation n° 5

Trouvez un ami qui vous aime, de préférence, quelqu'un qui lit ce livre. Ceci est une opération-déviation qui se fait à deux. Asseyez-vous l'un en face de l'autre. Décidez qui va « donner » et qui va « recevoir » en premier. Changez les rôles après trois minutes. Le donneur répète la phrase suivante au receveur, et il la répète, encore, et encore ; le receveur ne fait rien d'autre que respirer et prendre conscience de ses pensées et de ses sensations physiques. La phrase à dire est : « Je t'aime et je ne te quitterai jamais ! » Prêtez bien attention à l'inconfort que vous pouvez ressentir en entendant ces mots qui sont ceux auxquels votre cœur veut le plus croire. Rejetez votre inconfort en expirant. Soyez à l'aise avec de grandes quantités d'amour !

Sentir, c'est être vulnérable, et être vulnérable, c'est perdre le contrôle. La plupart d'entre nous redoutons la perte de contrôle. Presque tout ce que vous faites dans la vie est basé sur votre besoin de contrôler, car vous avez peur d'être contrôlé par quelqu'un d'autre si vous laissez aller. Vous voulez contrôler vos amis, votre famille, vos amoureux, l'argent et les émotions. Le contrôle est la façon dont l'ego joue à Dieu. Le contrôle est la raison pour laquelle la plupart des gens préfèrent donner l'amour plutôt que de le recevoir, bien qu'ils nient ce fait. Tant et aussi longtemps que vous êtes celui qui donne, vous occupez la place du chauffeur. Vous pouvez tourner, ralentir, ou arrêter quand vous en avez envie. Mais si quelqu'un dirige beaucoup d'amour vers vous, la peur va très vite monter en vous ; vous aurez l'impression de vous enfoncer dans les sables mouvants.

Plus vous recevez d'amour, plus vous sentez. Si vous savez que tout ce qui remonte en vous est sur la voie de sortie, si vous avez établi la sécurité dans vos relations en disant la vérité et en voyant que vous êtes accepté tel que vous êtes, si vous êtes aidé, alors — et seulement alors — vous allez vous abandonner et aller au bout du processus de guérison.

Beaucoup d'hommes vieux jeu et de femmes modernes se cachent derrière une attitude machiste. Ils sont « d'un bloc », à n'importe quel prix, et ils ne permettent pas à quiconque ou à quoi que ce soit de les toucher profondément. Ils se sentent plutôt faibles et impuissants intérieurement, mais ils n'ont pas en eux la sécurité qui leur permettrait de se dévoiler. Ils prennent des cours de karaté, de kung fu, ils font des exercices de musculation — et ils ont ainsi la puissance pour tuer, mais ils n'ont pas la force de sentir.

Qu'est-ce que ça veut dire, être « d'un bloc » ? Ce n'est certainement pas de maintenir unies vos différentes parties de peur de vous désagréger si vous laissez aller. Cela, ce n'est pas de la force, c'est de la paralysie — une attitude rigide et fragile en face de la vie. Être unifié veut dire que vous pouvez de temps à autre tomber en pièces détachées et vous reconstruire ensuite. Pour grandir, vous devez vous abandonner à vos émotions. Et vous devez contracter et intégrer quelquefois aussi.

L'expansion et la contraction sont deux aspects d'une force universelle. Le cœur bat, le protoplasme palpite, les étoiles scintillent — la vie tout entière inspire et expire, vibre, se dilate et se contracte. Les gens ont des problèmes quand ils traversent une période naturelle de contraction alors qu'ils souhaiteraient être en phase d'expansion, et vice versa. C'est la manifestation du besoin qu'a l'ego de résister au flux et au reflux de la vie. Pourquoi gaspiller votre énergie à vous opposer à la direction que votre vie prend naturellement ? La résistance provoque des tensions, des conflits, et de la douleur, alors que s'abandonner conduit à la paix, à l'aisance, et à la satisfaction. Le bonheur résulte du choix de laisser tomber vos projections et de faire confiance à la vie qui va vous unifier, vous et votre but. Grandir, c'est découvrir votre propre rythme intérieur d'ouverture et de fermeture, et respecter ce processus très personnel.

Mais il faut d'abord que vous vouliez bien ouvrir. L'intimité est ce qui se produit quand vous révélez aux autres qui vous êtes, et ça, c'est effrayant pour la plupart d'entre nous. Intimité veut dire : « voyez comment je suis en dedans ». Plus je vous laisse regarder en dedans de moi, plus je tends à me sentir intime avec vous. Mais si j'ai trop peur d'être vulnérable, si je pense que vous allez y voir qui j'ai peur d'être (plus précisément, ma loi primale), alors je vais reculer, je vais couper et me séparer de vous, et je ne m'abandonnerai jamais à mon vrai moi caché.

Le conflit entre notre dépendance à l'égard de notre bulle privée et notre désir d'intimité avec quelqu'un est le maître de nos vies ! La plupart d'entre nous avons développé un système de défense extrêmement sophistiqué derrière lequel nous nous cachons. Nous sommes maîtres en l'art de nous cacher ; nous faisons honte au Pentagone avec toutes nos données secrètes ! Nous choisissons soigneusement les aspects de nous que nous allons révéler, et nous cachons ce que nous n'aimons pas, de façon à ce que personne ne le remarque et ne désapprouve. Le jeu que nous jouons se déroule ainsi : « Je vais te séduire avec mes qualités les plus aimables, mais je ne vais pas réellement te laisser pénétrer en mon cœur parce que, si tu voyais qui je suis vraiment, tu me rejetterais. »

L'intimité est un processus d'autodécouverte. Cela exige du courage, mais les récompenses sont énormes.

Vous découvrez que vous êtes en toute sécurité avec vos émotions ; vous découvrez que vous êtes tout à fait digne d'être aimé même quand vous êtes vulnérable ; vous découvrez la joie d'être profondément ému. La peur que vous ressentez quand vous êtes entraîné vers une plus grande intimité est une peur saine, ce n'est pas un signal de danger.

La peur est fréquemment une invitation à une plus grande sécurité avec davantage d'énergie. Vous voilà à nouveau sur le point d'aller faire un tour sur les montagnes russes. Le souvenir de votre chute de cheval clignote devant vos yeux. Vous prenez le risque. Vous prenez place sur le manège. Vous passez un moment formidable. Votre peur n'était que le prélude à un moment de plaisir plus fort que ce dont vous aviez l'habitude. L'amour peut également être un manège, et il peut avoir bien plus de sinusoïdes que les montagnes russes et des descentes bien plus vertigineuses que celles du cyclone. Votre peur de faire un tour de manège n'est pas un problème, c'est votre envie qui vous pousse vers le guichet. Plus nous prenons de risques, plus nous vivons d'expériences intenses !

♥ **Ainsi donc, la peur peut devenir notre amie, une énergie exaltante qui nous donne l'occasion de libérer d'anciennes blessures. Un jour, un ami nous a dit : « N'ayez pas peur de votre peur. » Colomb a découvert l'Amérique. Les astronautes marchent sur la Lune. Les amoureux recherchent de nouveaux niveaux de lâcher-prise. Il n'y a pas de limites à ce que le cœur peut faire.**

La colère est une émotion épineuse ; elle est probablement le sentiment le moins acceptable socialement parlant. La colère est une grande quantité d'énergie propulsée par la pensée de l'attaque. Quand vous vous sentez en danger avec ce qui vous fait mal et avec votre peur (et ces deux-là sont généralement sous la colère), quand votre vulnérabilité stimule la pensée que les gens sont lâchés sur vous, vous ripostez. La colère est l'émotion de la survie ; dans votre esprit, c'est : « Tue ou sois tué. »

Le pire, au sujet de la colère, c'est que, de toutes les émotions, il semble que ce soit celle qui cause le plus de séparations dans nos relations d'amour. C'est probablement parce que nos parents étaient vraiment très mal à l'aise avec leur propre colère, et cela les amenait à nous désapprouver quand nous explosions. Peut-être même qu'ils nous frappaient.

Si vous ne pouvez pas exprimer votre colère d'une façon adéquate et sans vous sentir coupable (par exemple, sans penser que les autres vont en être blessés), vous allez l'étouffer chaque fois qu'elle montera en vous et elle va s'empiler en un tas de ressentiments majeurs. Le ressentiment va vous engourdir le cœur au point que vous vous sentirez de glace envers ceux que vous aimez vraiment.

♡ ***La solution pour bien vous y prendre avec la colère du moment présent est de toujours parler de ce qui vous fait mal, de partager votre douleur. Plus vous en faites part, moins vous aurez besoin de vous mettre en colère pour vous protéger.***

Il y a aussi plusieurs jeux que vous pouvez jouer pour faire au mieux, d'abord avec votre ressentiment, puis avec votre colère. Le jeu de la vérité aux pieds dans l'eau est une façon d'éviter l'accumulation de ressentiment. Tous les soirs, entrez dans la baignoire avec votre compagne ou votre compagnon. Chacun de vous a le même temps pour faire part de ses frustrations de la journée — des pensées comme : « Je t'ai détesté quand tu n'as pas rebouché le tube de dentifrice », « Je suis jaloux de ta sœur », « J'ai eu envie de te laisser tomber quand tu m'as fait attendre une demi-heure au lunch ». Des pensées comme celles-ci ne sont généralement pas exprimées dans la plupart des relations. Aussi dérisoires qu'elles puissent paraître, si elles ne sont pas communiquées elles peuvent finir par bloquer sérieusement le flux de l'amour. Si dans ce procédé vous êtes celui qui reçoit, votre travail est de respirer, de dire « merci » après chaque message, de rire quand vous pouvez, et de ne jamais essayer de vous défendre. Voyez ces pensées comme étant sur la voie de sortie. N'ajoutez pas d'énergie à ce qui est en train d'être déchargé. Rappelez-vous que vous êtes innocent, et que la paix n'a pas besoin de justification. Quand vous avez eu chacun votre tour, étreignez-vous, sortez de la baignoire, et laissez l'eau s'écouler dans les égouts. Vous êtes purifiés, prêts à aller au lit.

On ne peut ni produire, ni détruire l'innocence.

Un autre jeu que vous pouvez jouer avec la colère est celui que nous appelons le jeu du blâme créatif. C'est mieux si vous pouvez le faire avec un ami ou un thérapeute éclairé. Dans ce jeu, le thérapeute est un substitut qui joue le rôle de quelqu'un que vous aimez et à qui vous en voulez, mais à qui vous êtes prêt à pardonner. Mettez-vous à genoux l'un en face de l'autre, à environ un mètre de distance. Respirez profondément tous les deux. Aucun contact physique n'est permis. Quand vous êtes prêt, sans avoir auparavant répété la scène, balancez à la figure du substitut toute la colère (énergie et pensées) que vous avez retenue. (Je t'ai détestée quand tu as divorcé de papa », « Je ne peux pas supporter quand tu joues au martyr ! ») Continuez à en balancer jusqu'à ce que vous dépassiez le stade d'épuisement et que vous vous sentiez ragaillardi. (En fait, le stade d'épuisement est une tentative de séduction de votre ego qui voudrait vous entraîner vers des futilités ; n'abandonnez donc pas !) Continuez jusqu'à ce que vous vous sentiez « au complet », en vous rappelant de respirer profondément à chaque fois, et gardez vos yeux ouverts tout le temps. Quand vous avez terminé, allongez-vous tout simplement sur le sol et continuez à respirer, à relaxer, jusqu'à ce que vous vous sentiez d'aplomb.

Si vous êtes celui qui reçoit dans ce jeu du blâme créatif, il est important que vous laissiez l'énergie vous traverser de part en part. Rappelez-vous que vous n'êtes pas la personne visée par le blâme. Vos yeux doivent rester en contact avec ceux de votre partenaire, et cherchez-y l'amour qui est en train de faire sortir la colère. Ne laissez pas votre partenaire se replier dans la tristesse, le chagrin, ou l'autopitié (ces manœuvres sont des façons socialement acceptables de se défiler). Rappelez-vous : un véritable guérisseur est une personne qui respecte les différences d'énergie, qui donne à quelqu'un d'autre l'espace pour s'autoguérir (l'autoguérison est la seule guérison véritable), et qui reçoit les libérations qui se produisent sans porter de jugement sur la résistance quand celle-ci bloque la voie.

Une autre technique simple qui peut accélérer la libération de la colère consiste à prendre l'énergie, y lier une pensée positive, et aller crier sous la douche ou dans la voiture (fenêtres fermées, s'il vous plaît) ou dans les bois. Vous ne voulez pas décharger votre colère sur quelqu'un d'autre. Il y a, comme je l'ai expliqué, des façons appropriées de laisser sortir sa rage. Il n'est pas nécessaire de démolir quelqu'un, de vous retrouver coincé dans votre culpabilité de l'avoir fait (confirmation de votre loi primale), puis d'avoir ensuite pitié de vous. La pitié de soi est une victoire de l'esprit ; votre ego doit faire preuve de condescendance à l'égard de votre esprit.

Vous n'avez plus jamais à étouffer votre colère. Vous pouvez vous affirmer dans la vie, demander ce que vous voulez, apprendre à accepter un « non » comme réponse, et vous occuper de vos anciennes rage et douleur de façon appropriée. S'il se trouve que vous étouffez votre colère, vous le saurez car vous aurez tendance à attirer des gens courroucés. En fait, ils sont vos gourous : ils vous apprennent qu'il n'y a pas de danger à être en colère. À chaque fois que vous rejetez la colère ou n'importe quoi d'autre du genre, vous l'occasionnez à nouveau, et à plus grande échelle, de façon à accentuer la leçon. L'univers est infiniment généreux avec les occasions qu'il vous donne de vous aimer vous-même et d'aimer les autres inconditionnellement. Vos relations extérieures sont toujours le miroir parfait de votre subconscient !

C'est la même chose avec la tristesse. Si cela vous dérange de voir quelqu'un triste, si vous avez un besoin compulsif de vous éloigner d'une personne qui pleure ou de la réconforter, prenez une grande respiration et jetez un coup d'œil à ce que vous ressentez. Laissez à l'autre personne le champ suffisant pour qu'elle puisse vivre son chagrin.

Peut-être est-ce vous qui êtes mal à l'aise avec vos propres larmes refoulées. Peut-être que les yeux vous piquent parce qu'il y a une perte que vous déplorez encore. Ne ratez jamais une occasion de pleurer. Un arriéré de chagrin est dommageable pour le corps. Nombre de médecins pensent maintenant que quand on étouffe le chagrin et le ressentiment, cela peut produire des cellules cancéreuses dans le corps.

Le présent message est très clair : il faut ressentir et exprimer ce qu'on ressent, mais toujours le faire de façon appropriée. Ne vous déchargez pas sur les autres ou sur vous-même. Parfois les gens se trouvent bloqués dans l'expression de leur moi, le théâtre des émotions, et ils se raccrochent à un jeu théâtral dans un ultime effort pour éviter une libération complète. Exprimer sans respirer n'est pas libérer. C'est le fait même de respirer pendant que vous ressentez vos émotions qui fait circuler l'énergie, et éventuellement lui donne une base solide. Pendant ce temps, votre travail consiste à observer le défilé de vos pensées sans en aborder aucune.

La plupart des gens se font une fausse idée du pardon. Si vous venez me voir et me demandez de vous pardonner pour quelque chose, et que je dis : « Ok, je vous pardonne », qu'est-ce que je suis réellement en train de vous dire ? Mon sous-texte est : « Oui, vous m'avez réellement fait du tort, mais étant donné ma largesse de cœur, je condescends à vous pardonner. » Il est évident que ce genre de pardon a bien peu d'effet sur une guérison, et en fait, il peut amplifier le ressentiment. En vous éloignant de moi vous pensez : « Non mais, qui est-il pour me pardonner ? »

Le pardon est le maître effaceur (voir *A Course in Miracles, Foundation for inner peace*). Si vous vous cramponnez à un ancien ressentiment, votre esprit se rappelle seulement les impressions négatives que vous avez au sujet d'une personne. Pardonner, c'est choisir en toute conscience de se souvenir seulement des impressions positives, de laisser aller tout le reste, c'est choisir de rester très précisément dans le royaume des pensées d'amour. Par contre, avoir du ressentiment, c'est se rappeler seulement les impressions négatives. Si vous vous souveniez de tout ce qui était bien, comment pourriez-vous rester en colère aussi longtemps ?

Si vous avez une anicroche avec quelqu'un, la première chose à faire est de reconnaître que vous l'avez occasionnée. Peu importe si votre tentation de jouer à la victime est très forte, vous devez prendre la responsabilité de ce qui, dans votre subconscient, a provoqué cette situation pour vous faire apprendre et guérir. Avant de pouvoir pardonner aux autres, il faut vous pardonner à vous-même pour cette mise en situation déplaisante. Il faut aussi vous pardonner d'avoir blâmé l'autre personne et de vous être réduit au rang de victime impuissante. C'est seulement alors que vous pourrez pardonner à l'autre d'avoir joué un rôle dans la provocation de l'anicroche. Choisissez en toute conscience de ne pas prendre votre revanche. Vous savez que ce choix est un choix qui est sage, étant donné que la revanche ne peut que vous causer de la douleur. Vous êtes maintenant suffisamment éclairé pour voir qu'il n'y avait là aucun acte erroné mais simplement des patterns subconscients imbriqués l'un dans l'autre. Si votre petit ami vous a quittée, c'est peut-être parce que votre père est mort quand vous étiez enfant; peut-être que, depuis sa naissance, le pattern de votre petit ami est : « Je dois sortir d'ici pour survivre ! ». Personne n'est à blâmer, il y a juste l'amour, purifiant suprême, qui veut vous épurer de vos anciennes blessures. Vous avez tous les deux fait la mise en scène de la séparation pour que chacun puisse guérir.

La seule personne avec laquelle vous pouvez être à égalité, c'est vous-même.

Le pardon porte son propre bienfait ! Quand vous pardonnez à quelqu'un, vous recevez la joie d'ouvrir votre cœur et de sentir votre amour à nouveau. Un mur se dissout. Cette chaleur pénétrante circule à nouveau dans votre corps. Que l'autre personne vous pardonne ou non est presque hors de propos, bien qu'en général elle le fasse, et ce, peu de temps après que vous ayez libéré votre culpabilité en vous pardonnant à vous-même.

Opération-déviation n° 6

Le « régime-pardon » de Sondra Ray est un processus qui dure un mois mais qui vaut largement le temps et l'énergie. Vous travaillez avec quatre implants de pardon, un par semaine. Vous écrivez chaque phrase soixante-dix fois par jour pendant sept jours. Commencez par pardonner à votre père : « Je pardonne complètement à mon père ! » Puis passez à votre mère : « Je pardonne complètement à ma mère ! » Puis passez à vous-même : « Je me pardonne complètement ! » Et finalement, pardonnez à Dieu : « Je pardonne complètement à Dieu ! » Si un mois ne suffit pas, recommencez le régime aussi souvent que nécessaire, jusqu'à ce que vous sentiez la libération dans votre vie.

Il est important que vous libériez vos parents. Pardonnez-leur complètement. Même si vous pensez qu'ils vous ont vraiment mal traité, vous savez qu'ils ont fait de leur mieux compte tenu des circonstances de leur vie. Beaucoup de grandes personnes s'accrochent au ressentiment qu'elles éprouvent à l'égard de leurs parents et en font une excuse pour ne pas faire ce qu'elles veulent dans la vie. Elles prétendent que leurs parents ont encore sur eux une sorte de pouvoir magique. Ou alors elles « ratent » leur vie pour bien montrer au monde quel mauvais boulot les parents ont fait. Vos parents ont fait ce qu'ils ont fait. S'ils vous ont donné de l'argent au lieu d'amour, c'est peut-être parce qu'ils ont grandi pendant la Dépression et que la sécurité financière est devenue à leurs yeux la meilleure façon de prouver l'amour. S'ils vous ont réellement beaucoup désapprouvé, leur intention était d'aider votre croissance, et ils l'ont fait avec vous de la façon dont leurs parents l'ont fait avec eux. Au pire, vos parents étaient les victimes inconscientes de leur propre tradition familiale.

Opération-déviation n° 7

Faites une liste de trois cents choses dont vous êtes reconnaissant : cent choses que vous avez, cent qualités que vous possédez, et cent choses que vous avez faites dans votre vie. Vous serez surpris de voir quel coffre à trésors est votre vie.

Vous êtes déjà en possession du bien le plus précieux de la vie : la vie elle-même.

Sur qui allez-vous jeter la responsabilité ? Il est temps de cesser d'attendre que vos parents vous libèrent. Il n'y a que vous qui puissiez vous donner cette liberté. Mais, dans votre cœur, vous pouvez libérer vos parents. Acceptez-les et aimez-les inconditionnellement, comme vous auriez toujours souhaité qu'ils le fassent pour vous. Cessez d'essayer de les changer, de les sauver. Ils ont choisi leur vie et ils ont droit à leurs propres idées et à leur style de vie tout comme vous avez droit aux vôtres. Si vous ne pouvez pas appliquer avec eux la formule « vivre et laisser vivre », comment diable allez-vous pouvoir l'appliquer avec votre compagne ou votre compagnon, avec vos amis, ou avec vos associés ? Dans la mesure où vous n'avez pas pardonné à vos parents, vos relations seront toujours bloquées, votre cœur sera toujours fermé.

Quand le ressentiment cédera la place au pardon dans votre cœur, vous vous sentirez de plus en plus reconnaissant. La reconnaissance, c'est, tout simplement, d'avoir de la reconnaissance pour votre vie — pour l'amour, le plaisir et les occasions de grandir. Plus vous êtes reconnaissant, plus vous aurez d'occasions de l'être !

Ne vivez pas une vie de chagrin, d'amertume et de regrets. Orientez l'œil de votre esprit vers les richesses de votre vie. Vous avez toujours le choix. Quand un verre est à demi plein d'eau, vous pouvez insister sur le fait qu'il est vide ou sur le fait qu'il est plein. Ce sur quoi on insiste prend de l'expansion !

La plupart des problèmes de votre vie sont émotionnels. Sans charge émotionnelle, un problème est une leçon ou un défi — quelque chose qu'il faut accueillir favorablement, et non pas redouter.

Opération-déviation n° 8

Choisissez un problème que vous voulez éliminer. Écrivez-le, aussi simplement que possible. Maintenant, procédez à une autointerrogation. Écrivez : « La raison pour laquelle j'ai provoqué .... est... » et commencez à faire la liste de toutes les associations d'idées que votre esprit révèle. Quand vous tomberez sur la vraie raison, vous le sentirez dans votre corps. Faites alors deux choses : (1) formulez un implant positif que vous affirmerez tous les jours (avec une colonne réponse), et (2) décidez d'une ligne de conduite appropriée dans l'univers concret et planifiez-la dans votre agenda.

Tout problème a été, à un moment donné, la solution à un problème précédent !

Par exemple, vous avez des kilos en trop. Fut un temps où vous étiez mince et vunérable, peut-être était-ce à votre naissance. Puis vous avez souffert. Vos parents étaient très inquiets pour vous et vous avez senti leur inquiétude. Vous en avez conclu : « C'est dangereux d'être petit ! » et : « Mes parents veulent que je sois plus gros. » Vous avez donc décidé à la fois de faire plaisir à vos parents et de vous rembourrer avec des cellules de graisse en vue des épreuves de la vie que vous avez anticipées. Votre problème de poids est en fait une solution à votre problème de peur — un abri contre la tempête.

La façon de résoudre un problème est, d'abord, de changer la pensée qui a provoqué le problème : « Maintenant, il n'y a pas de danger à être petit, et c'est agréable. » Ensuite, agissez de façon adéquate dans l'univers concret — mangez moins et faites de l'exercice. Si vous faites de l'exercice sans manger moins, ça ne marchera pas. Aucune lutte, si acharnée soit-elle, ne peut triompher pour très longtemps d'une pensée négative dont vous êtes dépendant. Quoi que vous fassiez, n'utilisez pas votre problème pour vous donner tort et faire la démonstration de votre loi primale : « Vous voyez, j'avais raison, *il y a* quelque chose qui ne va pas bien en moi : je suis gros ! » Vous fustiger pour un problème ne fait qu'ajouter du poids au problème et rendre son élimination encore plus difficile.

Implants pour une vie émotionnelle saine

D'ordre général

Toutes mes émotions sont valables.

Je me pardonne d'avoir étouffé mes émotions.

Je pardonne à mes parents d'avoir désapprouvé mes émotions.

Je pardonne à mes parents d'avoir étouffé leurs émotions.

J'ai le droit de ressentir ce que je ressens !

Je ne cours pas de danger en ressentant mes émotions !

Je peux ressentir et exprimer mes émotions sans que cela n'entraîne des conséquences peu souhaitables.

Maintenant, je peux exprimer toutes mes émotions facilement et de façon appropriée, et ce, pour le bénéfice de tous ceux qui sont concernés !

À chaque fois que je fais part de mes émotions, les gens voient l'amour qui est derrière elles.

Quoi que je ressente, je suis quelqu'un de bon.

Au sujet de la peur

Il n'y a pas de danger à avoir peur !

Ce n'est pas parce que j'ai peur que je suis en danger.

Mon corps est un endroit sécuritaire et agréable.

Je peux avoir tout le plaisir que je veux sans conséquences douloureuses.

Mon avenir est sans danger et plein de merveilleuses surprises.

Personne ne veut me faire de mal.

À chaque fois que j'ai peur, je peux relaxer, respirer profondément et me retrouver en sécurité dans mon corps.

Au sujet de la colère

Il n'y a pas de danger à être en colère.

C'est humain de se mettre en colère.

La colère est inoffensive.

J'exprime toujours ma colère de façon appropriée.

Je me pardonne pour toutes les fois où j'ai exprimé ma colère de façon inappropriée.

Je me pardonne d'avoir pensé que j'étais une victime !

Je n'ai plus besoin de me séparer quand je suis en colère.

Les gens m'acceptent et m'aiment même quand je suis en colère.

Je peux obtenir ce que je veux !

Je suis capable de prendre un « non » comme réponse.

Je préfère gagner l'amour qu'avoir le dernier mot.

La paix n'a pas besoin de justification.

Au sujet de la tristesse

Je libère mon père.

Je libère ma mère.

Rien de ce que je perds n'a une valeur durable.

Rien de ce que je perds n'est essentiel pour le meilleur de moi.

À chaque fois qu'on dirait que je perds, un gain supérieur est en route.

Je ne cours pas de danger en ressentant ma tristesse.

Pleurer est humain.

La joie est toujours en dessous de ma tristesse.

Je peux laisser aller ma peur sans perdre l'amour.

Je mérite d'être heureux !

Chapitre 6

Naître, une expérience inoubliable

Quand je parle aux gens des souvenirs que j'ai de ma naissance, beaucoup réagissent avec surprise. « C'est impossible ! » dit l'un. « Je ne peux même pas me souvenir de quand j'avais dix ans », dit l'autre. « Comment pouvez-vous être vraiment sûr que c'est bien cela qui s'est passé ? » demande un troisième. Pourquoi serait-il si surprenant que le souvenir de la naissance reste en chacun de nous ? Après tout, c'est une expérience très spéciale, une expérience d'une puissance très particulière dont la portée est bien plus grande que votre premier jour d'école, ou votre premier baiser, ou que la première fois où vous avez fait l'amour — événements dont la plupart des gens se souviennent facilement. Le fait que la majorité des gens ne se souviennent pas de leur naissance est fonction non pas tellement du temps, mais de l'incroyable intensité de l'événement, de la quantité d'anesthésique qui a été utilisée, et de l'illusion que, pour s'en souvenir, il faudrait revivre la douleur.

Ainsi que je l'ai suggéré, une grande partie de notre ambivalence au sujet de l'amour commence avec la naissance, si ce n'est pas plus tôt. De récentes études en psychologie prénatale concluent que, même dans l'utérus, nous sommes de petites créatures très occupées, nous recevons et décodons l'information qui nous vient du monde extérieur, et nous exprimons également nos réactions et nos opinions au moyen d'un langage corporel primitif (voir le livre du Dr Thomas Verny, *The Secret Life of the Unborn Child*).

Au début, l'amour circulait librement à travers votre univers tout entier. Vous avez été conçu dans un moment d'amour, et dans l'utérus l'amour s'est transformé en une existence humaine. L'amour de votre mère vous a nourri et a accéléré votre croissance. Vous étiez une part de cette mère-amour, vous étiez venu d'un père-amour.

Il semblerait que le temps passé dans l'utérus est un moment bien agréable pour la plupart d'entre nous. (Nous passons certainement assez de temps à créer des substituts d'utérus dans la vie.) Alors que nous flottons sur une douce mer de liquide amniotique, tous nos besoins sont comblés. (Combien sommes-nous à apporter précisément ce désir primal dans nos relations d'amour ?) Le cordon ombilical vous apporte nourriture et « respiration », et vous n'avez rien d'autre à faire qu'à dormir, et grandir, et apprendre. Est-ce que ce n'est pas également une situation idéale d'apprentissage ? Isolé de l'agitation extérieure, vous n'en êtes pas moins télépathiquement ouvert aux messages de l'univers, et vous êtes également connecté au système nerveux de votre mère, et donc à son cerveau. De récentes expériences faites dans des bassins d'eau (où les sensations sont éliminées), ou faites sur des sujets endormis, indiquent que l'utérus serait l'endroit idéal pour s'éduquer. Si vos parents étaient conscients de ce phénomène, vous avez peut-être communiqué régulièrement avec eux pendant le temps de la grossesse, vous avez pu reconnaître le son de leurs voix et les vibrations émotionnelles qui passaient entre eux.

Petit à petit, vous êtes devenu de plus en plus gros et vous avez fini par vous sentir à l'étroit dans cet espace qui avait été, à un moment donné, votre univers sans limites. Vous avez commencé à ruer des quatre fers, et les murs ont commencé à se rapprocher de vous. Le cordon ombilical vous approvisionnait toujours en nourriture et en oxygène, mais plus vous deveniez gros, plus le monde devenait étroit. La félicité a fait place à la « terreur d'un sans issue ». « Il faut que je sorte d'ici » a probablement été une de vos premières pensées conscientes. (Combien d'entre nous refaisons l'expérience de cette même anxiété primale quand une relation d'amour nous semble restringente, claustrophobique, ou étouffante ?) Vous avez donc entrepris l'inévitable sortie de l'éden, le drame de la séparation, la panique de la vie et de la mort !

Le passage à franchir pour naître était plutôt étroit. Vous ne pouviez pas retourner en arrière, et qui savait ce qu'il y a en avant ? Vous vous êtes contorsionné, puis retourné, poussant de votre tête vers une liberté éloignée. Objectivement, la distance que vous avez parcourue était courte, mais l'effort était énorme et chaque pouce franchi vous donnait l'impression d'avoir déplacé des montagnes. La pression était implacable. Les murs de votre univers étaient en état de cataclysme et grondaient comme un raz-de-marée. Il n'est pas surprenant que, plus tard dans la vie, les périodes de changement semblent tellement traumatisantes, que ce soit changer d'emploi, déménager, ou rompre une relation. La volonté à l'état pur poussait sur vous. La volonté de vivre ? La mémoire collective de l'ultime délivrance ? Qui sait ?

Une chose semble certaine. Le pattern de la lutte « pour y arriver » commence dans le passage à franchir pour naître, et il continue tout au long de nos désirs et aspirations dans la vie, jusqu'à ce qu'il soit libéré.

Et puis il y eu la douleur de votre mère. Votre mère, votre source d'amour et de sécurité pendant neuf précieux mois qui maintenant se crispe de peur et de douleur alors que vous n'avez jamais souhaité cela. « Tout va de travers. Ce n'est pas comme cela que ça devait se passer » (pensées par trop familières dans les relations d'amour).

Votre amour était censé amener la joie et la fête, et non pas la guerre et la terreur. Est-ce que l'amour est une erreur ? Est-ce que la vie est synonyme de souffrance ? Est-ce qu'il ne vaut pas mieux retenir son amour plutôt que de causer autant de douleur à la personne que nous aimons ? À mon avis, ce syndrome de culpabilité du nouveau-né est responsable de beaucoup des problèmes que nous créons plus tard dans la vie. Tant et aussi longtemps que vous garderez l'idée que votre vie a causé de la souffrance à votre mère, vous engagerez constamment vos partenaires dans une guerre primale. Les relations deviennent une bataille émotionnelle pour la survie. Vous pensez que vous avez besoin de votre partenaire pour survivre, vous lui en voulez de cela, et vous luttez pour obtenir votre indépendance. Il semble qu'une seule personne puisse survivre. Il semble que vous deviez rompre vos relations pour continuer votre croissance personnelle, de la même façon que vous avez dû quitter votre mère quand l'espace est devenu trop exigu. La douleur de la séparation semble la seule alternative à la menace d'étouffement. Nous en reparlerons plus loin.

Pour la majeure partie d'entre nous, la naissance a été, au mieux, un réveil brutal et, au pire, une terrible injustice.

Aussi brutale qu'ait pu être la vie dans le passage pour la naissance, la délivrance a probablement été pire. Si vous êtes né dans un hôpital, comme moi, votre naissance a probablement été fonction du bon plaisir du médecin accoucheur tout autant que du bien-être de votre mère. Il y a, de nos jours, une grande controverse au sujet de la prolifération d'accouchements par césarienne, procédé qui est l'apogée d'années et d'années de pratiques de médecins cherchant à rendre la naissance « plus facile ».

En un sens, la naissance est devenue plutôt sécuritaire. Le taux de mortalité infantile a été considérablement réduit, et les bébés prématurés qui, à une époque donnée, ne pouvaient jamais être sauvés le sont maintenant avec une régularité croissante. Nous devons être reconnaissants à la science occidentale pour ces progrès considérables.

Mais il y a une ignorance considérable à propos de la naissance ; elle est entourée d'un nuage d'inconscience que beaucoup de médecins refusent de pénétrer. Peut-être ce nuage est-il un résultat de l'anesthésique administré lors de la naissance ? L'inconscience collective qui entoure la naissance est l'image de l'anesthésie de la propre naissance de chacun. Nous savons maintenant que, au moment de la naissance, un produit chimique appelé oxytocine est libéré naturellement et qu'il produit une sorte de blanc de mémoire à propos de ce qui est en train de se passer.

Étant donné qu'il s'agit de votre première expérience de ce monde, de votre entrée dans la vie, et de votre initiation à la réalité, l'éclaircissement du traumatisme de votre naissance a une portée que vous ne pouvez pas sous-estimer !

L'aspect physique de l'accouchement est un choc qu'il faut prendre en considération, sans parler de l'expérience. Au moment de la naissance, vous passez de la semi-obscurité à des lumières puissantes, du calme au bruit, de la douce chaleur de l'utérus à une relative fraîcheur. Finalement, comme si cela ne suffisait pas déjà, le médecin accoucheur vous a probablement manipulé sans aucune délicatesse et a coupé votre cordon ombilical (système essentiel à votre survie) avant que vous n'ayez la chance de cracher le liquide amniotique et d'apprendre par vous-même à respirer. (Ce n'est pas surprenant que vous reteniez votre souffle quand il y a du danger !)

Si vous n'étiez pas assez rapide, l'accoucheur vous a probablement attrapé par les pieds, et alors que vous aviez la tête en bas il vous a donné votre première fessée, juste pour vous mettre en route. (Résultat : beaucoup d'entre nous ont tendance à avoir les muscles du dos tendus en permanence.) L'accoucheur ! Le tout premier homme à vous toucher, le premier représentant de l'autorité dans votre vie, le premier homme en uniforme ! Ce n'est pas surprenant que vous vous opposiez si compulsivement aux autorités ensuite et que vous cherchiez un « sauveur », et que, en même temps, vous lui en vouliez de vous dire quoi faire. Et vous pleurez : « Je peux le faire tout seul ! »

Le syndrome de l'accoucheur n'est pas le résultat d'une punition cruelle et inhumaine ; au contraire, le médecin qui vous a mis au monde aimait probablement les bébés, et il faisait tout ce qu'il pouvait pour vous aider. La confusion au sujet de la naissance est le résultat d'une innocence et d'une ignorance collectives. Et comme si le mieux n'était pas déjà assez l'ennemi du bien, votre infirmière vous a probablement retiré à votre mère et mis dans une pouponnière où vous étiez seulement un parmi tant d'autres. Vous parlez d'un jour de naissance !

La naissance est un moment où l'idée du monde qui est collective à notre culture est transmise de génération en génération. La mère, le médecin, l'infirmière : le traumatisme de la naissance de chacun est réveillé pendant qu'ils attendent, souffle suspendu, de voir si vous allez y arriver. Et à l'instant où vous tombez d'accord avec eux, il ne fait aucun doute que l'idée collective du monde va se perpétuer. Plus d'un médecin va justifier la fessée donnée à un nouveau-né ou la séparation de sa mère par un « C'est la vie ! » Tant que nous penserons que la vie est cruelle, la violence de la naissance traditionnelle aura sa justification dans notre esprit. Tant que nous penserons que la lutte est à la base de la nature humaine et que la nature humaine est immuable, les plaidoyers pour une naissance plus humaine passeront inaperçus.

Le rebirth

Avant de pouvoir évaluer la démence de la naissance classique, nous devons nous guérir de la paranoïa et de la schizophrénie fondamentales dont nous souffrons face à la vie. Autrement dit, nous devons libérer notre cerveau, notre corps, et notre esprit du choc que nous avons connu à notre propre naissance.

La thérapie primale est un excellent outil pour vous mettre en contact avec votre rage primale et la transformer en « déragement ». Le défi réside en ce que le fait d'être en contact avec cette rage est seulement le premier pas pour se libérer de l'emprise de la naissance. Encore là, le processus de la naissance implique une extase qui peut être complètement masquée si on se concentre sur la douleur.

Le *rebirth,* qui est une expérience de respiration simple mais subtilement puissante, vous met en contact avec le plaisir d'être en vie. Il vous permet aussi de voir votre naissance comme une interruption passionnante — mais aussi déroutante et effrayante — dans le voyage de votre esprit vers un monde merveilleux. La thérapie primale vous met en situation de « dérager » contre la vie. Le *rebirth* vous permet de dé-rager : de laisser sortir la rage et d'être en contact avec l'amour qui abonde dans l'univers.

Pendant le *rebirth,* la seule chose que vous ayez à faire est de vous allonger et de respirer. Vous respirez et vous respirez et vous respirez et vous respirez. Pendant deux heures ou plus vous faites de la « respiration de contact ». Ce qui se passe est assez ahurissant. Les niveaux les plus superficiels de votre corps s'éveillent. Ce vieil engourdissement qui était le résultat de la vraie anesthésie autogénérée commence à se dissiper, et vous commencez à sentir des fourmillements, à avoir chaud, puis froid, à vous sentir lourd, puis léger, jusqu'à ce que l'énergie défonce votre résistance de la façon dont une rivière défonce un barrage, et que vous sentiez partout dans votre corps un soulagement énorme et une relaxation très profonde.

Émotionnellement parlant, le *rebirth* vous fait passer à travers votre rage primale, à travers la douleur et la tristesse qui sont en dessous d'elle, et à travers cette peur fondamentale de vous abandonner qui crée le dilemme de l'amour. Souvent, vous verrez aussi des images de votre naissance ou de votre petite enfance, ou bien vous vous rappellerez de sensations prénatales. Plus vous respirez, plus votre système sanguin apporte d'oxygène aux cellules de votre corps. Ces cellules fonctionnent comme les cellules d'un ordinateur ; une fois qu'elles sont réveillées de leur engourdissement habituel, elles contiennent toute une profusion d'informations qu'elles sont prêtes à transmettre à votre cerveau afin que vous puissiez vous souvenir et libérer.

Il est évident que le *rebirth* devrait se faire en présence d'un *rebirther* professionnel qualifié.

Parfois, en entendant le mot *rebirth,* les gens pensent immédiatement à la re-naissance religieuse, qui est une transformation spirituelle instantanée (généralement à travers le Christ) dont certaines personnes disent faire l'expérience. Ce n'est pas ce dont il s'agit ! Le *rebirth* est un processus cumulatif, et non pas un retournement qui se produit en une seule fois ou en un mois. S'abandonner lors du *rebirth,* c'est s'abandonner au pouvoir de votre respiration en tant que moyen permanent de transformation dans votre vie.

Votre respiration est le pont entre le monde visible et le monde invisible ; c'est le point d'échange entre ce que vous faites vôtre et ce que vous laissez aller, le point où la pensée donne forme à l'esprit. Votre façon de respirer révèle votre attitude fondamentale en face de la vie elle-même, et au cours du *rebirth* votre respiration retrouve l'équilibre et l'harmonie qu'elle aurait toujours connus, n'eût été le traumatisme de la toute première respiration. Au cours du *rebirth,* vous libérez la panique de la première respiration. Le résultat en est que vous faites l'expérience de la respiration en tant que rythme spontané, purifiant, plutôt que comme une soufflerie effrayée et contrôlée. Des situations normalement stressantes génèrent intuitivement un soupir de libération au lieu de faire retenir sa respiration sous le coup de la panique. Les relations, qui sont si souvent contrôlées par la peur subconsciente de la séparation (souvenir de quand vous avez quitté l'utérus) deviennent plus faciles, plus sécuritaires, plus agréables, et on s'y engage davantage.

Les pulsations de l'univers deviennent les pulsations de votre respiration et de votre cœur. À mesure que votre respiration prend de l'ampleur, votre cœur s'ouvre. Le *rebirth* est une expérience de vie et d'amour très intense, et cette expérience est disponible pour un minimum d'effort et à un prix relativement bas. De plus, ses effets sont durables. Le *rebirth* est la clé invisible de votre cœur.

Opération-déviation n° 9

Écrivez un rapport de naissance, incluant les informations suivantes : nom, date de naissance, âge des parents à votre naissance, âge des frères et sœurs, et si vous êtes né par césarienne, prématuré, par le siège ou par les pieds, si votre naissance a été provoquée, si vous avez été placé en couveuse, si vous êtes né en retard, si le cordon était enroulé autour de votre cou, ou n'importe quel autre détail particulier. Ne vous en faites cependant pas si vous ne pouvez pas vous en souvenir ou si vous ne pouvez pas obtenir ces renseignements. Il arrive fréquemment que les souvenirs reviennent pendant le 'rebirth', et parfois le corps les exprime sans que l'esprit n'en ait vu les images. Cela n'a pas d'importance — vous sentez la différence de toute façon. Contactez un 'rebirther' pour discuter de votre naissance, et voyez si le 'rebirth' est une démarche pour vous.

Évidemment, toute naissance est un événement individuel, unique et incomparable. Vous étiez peut-être prématuré, peut-être êtes-vous né par le siège ou par les pieds, ou par césarienne, ou bien votre naissance a été provoquée, ou vous né avec du retard. Peut-être le cordon était-il enroulé autour de votre cou, ou bien vous avez été placé dans une couveuse. Les conditions spécifiques (physiques et émotionnelles) de votre naissance vous ont amené à tirer des conclusions qui englobent votre loi primale et vos attitudes fondamentales face à la vie. Vous avez survécu à votre naissance, et jusqu'à présent vous avez survécu à votre vie, vous savez donc que ce que vous faites marche pour vous. Mais il est peut-être temps que les choses soient plus faciles, il est peut-être temps de vous dépouiller d'une couche de résistance et de vous laisser aller à une façon d'être qui soit plus douce, et où il y aurait davantage d'amour. Le *rebirth* peut certainement vous aider à y arriver.

Chapitre 7

La culpabilité, mafia de l'esprit

Étant donné que la plupart des gens pensent qu'il y a en eux quelque chose qui ne va pas bien, ou qu'ils ont fait quelque chose de mal, ils ne croient pas qu'ils méritent l'amour. Et souvent ils vont subconsciemment saboter l'amour qu'ils reçoivent !

La culpabilité, tout comme le serpent du paradis terrestre, est le plus sournois et le plus subtil des patterns négatifs. Il arrive souvent que vous agissiez en coupable, alors que vous ne vous sentez même pas coupable. La raison en est que la culpabilité n'est pas tant un sentiment qu'un état. En fait, la culpabilité est une esquive pour ne rien sentir.

La culpabilité est la circonstance de la séparation. C'est exactement le contraire de la grâce. La culpabilité, c'est la douve qui protège le château de l'ego.

Psychologiquement parlant, la culpabilité est le grand saboteur de la vie. C'est à cause de la culpabilité que nous ne nous laissons pas « réussir sur toute la ligne ». Quand vous êtes coupable, vous gâchez certaines parties de votre vie parce que, subconsciemment, vous ne vous sentez pas digne d'un succès total. Vous décrochez enfin cet emploi qui vous convient à merveille, et votre voiture tombe en panne ; vous faites réparer votre voiture, et votre maison est réduite en cendres ; vous achetez la maison idéale, et votre relation s'effondre. Votre vie est un navire qui fait naufrage, et à chaque fois que vous colmatez une brèche le navire prend l'eau ailleurs. Une personne coupable trouve toujours une façon de faire que quelque chose aille de travers dans sa vie pour refléter sa loi primale (« Il y a quelque chose qui ne va pas bien en moi », ou : « Je n'en vaux pas la peine »), et confirmer ainsi sa plus grande peur au sujet d'elle-même.

La culpabilité entraîne les gens qui connaissent le succès du jour au lendemain à détruire leur succès, quand ce n'est pas à se détruire eux-mêmes. Leur conscience est incapable de concilier leur renommée soudaine et leur bonne fortune avec la piètre idée d'eux-mêmes qu'ils ont eue dans le passé. Et alors, ou bien ils ont un sursaut de conscience, ou bien ils « sont dedans » jusqu'au cou.

La culpabilité est la mafia de l'esprit ! C'est un plan de protection que nous nous vendons à nous-mêmes afin d'éviter une punition anticipée. Le seul problème est que cette forme particulière de protection implique l'autopunition. Toute culpabilité est masochiste. La pensée est : « Si j'arrive à souffrir assez, je serai pardonné ! », « Si j'arrive à me punir assez, peut-être que les gens auront pitié de moi et ne me feront pas de mal ! » La culpabilité repose sur l'illusion que c'est la douleur, et non pas l'innocence, qui est la rédemption. La culpabilité fait que les martyrs pensent qu'ils sont des saints. La culpabilité, c'est le Parrain qui se fait passer pour Dieu !

Au Nouveau-Mexique, j'ai découvert une secte religieuse appelée *Penitentes.* Ils pratiquent l'autoflagellation — et même la crucifixion — comme une façon d'aller vers Dieu. La vérité c'est que, quelle que soit la force avec laquelle vous vous punissez, la culpabilité ne sera jamais vraiment satisfaite tant que vous n'aurez pas reçu « une bonne raclée ». Là, avec une bonne raclée, vous jubilez dans votre souffrance, vous êtes très satisfait de vous-même et vous justifiez votre dépendance à la douleur.

Finalement, la culpabilité n'est pas satisfaite tant que vous ne faites pas le sacrifice suprême de votre vie. Une fois que vous êtes mort, votre ego rit et danse sur votre tombe. Il a fait la preuve que vous étiez indigne de vivre. Après tout, vous étiez un pécheur !

Les causes de la culpabilité sont multiples et se renforcent mutuellement. Le syndrome de culpabilité du nouveau-né, dont nous avons parlé plus tôt, est basé sur l'idée erronée que vous avez fait souffrir votre mère à votre naissance. Par amour pour elle, vous endossez sa douleur et concluez avec vous-même un pacte silencieux selon les termes duquel vous allez souffrir à la place de ceux que vous aimez, les protégeant ainsi de la douleur que vous vous attendez à leur causer, et du même coup vous vous garantissez contre toutes représailles possibles. Vous étouffez votre vitalité à chaque fois que vous sentez que l'intimité s'approche. Vous fermez votre cœur et vous vous retenez, et ce faisant vous devenez de plus en plus mal à l'aise, claustrophobique, et vous étouffez. Et alors, soit que vous explosez en une rage primale, soit que la terreur primale vous fasse partir. Dans les deux cas vous reproduisez le drame de la culpabilité du nouveau-né et de l'abandon.

La culpabilité est une assurance sur la séparation !

Le mythe populaire du « être trop grand pour... » prend sa source dans la culpabilité pré et périnatale. C'est l'idée absurde que l'un des partenaires peut devenir trop grand pour une relation, comme si une relation était un pot dans lequel vous vous plantez. C'est dans l'utérus que vous avez décidé de partir de façon à pouvoir continuer votre croissance personnelle, et vous avez alors aussi décidé que le voyage signifiait douleur, panique, peur, et perte. Ce n'est pas étonnant que les périodes de transition soient souvent des moments aussi stressants pour vous.

Dans l'utérus vous avez grandi petit à petit, jusqu'à ce que l'espace en votre mère ne puisse plus vous contenir ni vous nourrir. Le paradis devenait tout à coup l'enfer. Vous y étiez enfermé et vous avez dû en partir pour survivre. Vous avez donc choisi de sortir. Puis le médecin accoucheur a coupé votre cordon ombilical avant même que vous n'appreniez à utiliser vos poumons, et votre première respiration a été emplie de douleur et de panique. Vous revivez souvent cette séquence précise d'émotions dans vos relations. Vous passez de la félicité d'un nouvel amour à un sentiment graduel d'étranglement et de claustrophobie. C'est souvent comme si le paradis avait viré à la vie d'enfer et que le seul salut consistait à sortir de la relation. La seule alternative consiste à jouer le rôle de votre mère et à expulser votre partenaire. Il vous est souvent de plus en plus difficile de respirer quand vous êtes près de votre amoureux, et vous voilà en train d'ouvrir la fenêtre pendant les froides nuits d'hiver de façon à avoir assez d'air. (Votre partenaire voudra probablement que la fenêtre soit fermée.)

Le résultat de tout cela est le grand double nœud de la plupart des relations : le sentiment que vous ne pouvez pas vivre avec votre partenaire et ne pouvez pas survivre sans lui. La peur de l'amour et la peur de la perte sont donc unies par un mariage sacré célébré par le père culpabilité, réjoui de voir un autre couple — qui ne s'y attendait pas — mordre la poussière.

Vous oubliez que votre cœur n'est plus dans l'utérus, que le cordon a été coupé, et que vos seules limites sont votre propre esprit et votre refus de faire preuve d'un peu d'imagination dans votre vie.

Vous oubliez aussi que vous n'avez jamais vraiment fait mal à votre mère au moment de votre naissance ; sa douleur était le résultat de son propre traumatisme à sa naissance — sa peur de revivre l'intensité de sa naissance l'a faite se cramponner et souffrir.

Sous l'anesthésie, il y a la douleur ; sous la douleur, il y a la peur ; sous la peur, il y a la souffrance. Mais sous cette souffrance il y a la joie. La seule façon de guérir cette douleur fondamentale et d'accéder à la joie est de s'abandonner à l'amour et de voir que vous créez votre propre douleur et votre plaisir, tout comme les autres le font pour eux. La culpabilité tragique de la naissance consiste en ce qu'un nouveau-né empli d'amour s'imprègne de la douleur de sa mère emplie d'amour.

La culpabilité est héréditaire. À chaque naissance, le terrible flambeau est passé. Né coupable, vous avez tendance à être attiré vers la punition. Enfant, vous faites l'expérience de la désapprobation — vos parents vous critiquent, vous jugent et vous jaugent — tout comme leurs parents l'ont fait pour eux. Ce syndrome parental de désapprobation, que l'on appelle communément « la tradition familiale », consolide votre culpabilité infantile et vous fait battre en retraite dans votre esprit et vous demander, avant même d'agir, ce que les gens vont penser de vous. Vous apprenez à renier votre intuition et à préférer plaire aux esprits des gens dont vous pensez avoir besoin pour survivre. Évidemment, vous en voulez secrètement à ces gens et vous avez tendance à les blâmer de ce pattern qui vous fait capituler devant eux.

Opération-déviation n° 10

Faites une liste de dix choses que vous pensez avoir faites dans le but de faire mal aux autres, par exemple frapper quelqu'un, refuser votre amour, ou mentir. Ensuite, faites une seconde liste de dix choses que vous pensez que les autres ont faites dans le but de vous faire mal. Maintenant, respirez, et regardez bien vos deux listes. Libérez votre culpabilité primale en vous pardonnant d'avoir pris à votre compte les désirs inconscients de punir qui sont dans d'autres esprits coupables. Et pardonnez-vous d'avoir attiré la punition pour soulager la douleur causée par votre propre culpabilité. Voyez que personne n'est jamais en faute, que la culpabilité et la punition se recherchent toujours mutuellement, les patterns attirant les patterns, la victime et le bourreau étant en accord tacite.

Vous oubliez que votre culpabilité est à la recherche d'un méchant qui va vous faire vous sentir comme une victime impuissante. Votre culpabilité pense que l'impuissance est l'innocence.

On ne peut ni produire ni détruire l'innocence. L'innocence est, ou elle n'est pas. Je préfère voir l'innocence que la culpabilité. C'est plus agréable à l'œil et plus doux au cœur. Je préfère voir le Dieu qui est dans les enfants et l'enfant qui est en chacun de nous. Si nous agissons parfois comme des petits diables, ce n'est rien d'autre qu'une affaire de mouton déguisé en loup.

♡ ***Vous pouvez commencer à vous pardonner d'avoir prétendu être coupable.***

Vous pouvez commencer à reconnaître que l'innocence que vous voyez dans le regard d'un enfant est votre propre innocence. Comment pouvez-vous voir ce que vous n'êtes pas ?

Chaque voyage dans le passage à franchir pour la naissance reproduit l'épisode de l'expulsion d'Adam et Ève du paradis terrestre. La culpabilité religieuse et l'« éducation » religieuse justifient la suppression de la vitalité dès la naissance, tout autant que la vie avec des parents qui désapprouvent.

La plupart des religions nous enseignent que nous sommes des pécheurs, que nous sommes mauvais, corrompus, des anges déchus. Bien que cela ait pu vous déplaire et vous faire vous insurger, la pensée que Dieu vous a condamné peut très bien être tapie dans la caverne de votre subconscient. Et il est probable que, plus on vous disait que vous étiez un méchant enfant, plus vous avez mal agi pour vous venger. Ou alors, vous avez choisi la route longue et tortueuse du retour vers Dieu, route que votre pensée initiale de séparation vous empêchera toujours de parcourir jusqu'au bout dans votre cœur.

Vous devenez un chercheur professionnel, quelqu'un qui désire ardemment parvenir à une union qui ne peut venir que de l'abandon à l'innocence. Vous liez votre pattern fondamental de lutte à une quête spirituelle, vous cherchez le professeur parfait, le thérapeute parfait, le gourou parfait pour vous sauver. Seulement, plus vous cherchez et plus vous vous retrouvez face à vous-même. Le dilemme fondamental de l'amour vous suit pas à pas, comme une ombre, sur le chemin de la quête.

Vous ne pouvez pas échapper à vous-même. Vous ne pouvez pas échapper à la liberté. La prison n'est autre que votre propre esprit.

La culpabilité sociale est la forme la plus populaire de négation de soi. Vous pouvez même dire que c'est une manie, ou une vogue. La culpabilité sociale est très à la mode, et comme le *rock & roll* elle proclame qu'elle est là pour rester. Au nom de la culpabilité sociale, vous devez penser à tous les enfants qui meurent de faim dans le monde avant de vous régaler d'un steak succulent, ou bien vous devez penser à tous les réfugiés sans abri avant d'acheter la maison de vos rêves.

Cette façon de raisonner vous amène à penser que, tant qu'il y a des perdants, c'est un péché de gagner dans la vie. Comme si votre succès retirait magiquement quelque chose aux autres. Si on suivait cette logique, on se retrouverait avec un monde de perdants, chaque perdant devant attendre qu'un autre gagne avant de bouger lui-même. Nous serions bloqués dans une situation de paralysie planétaire.

Les croyances qui sont à la source de la culpabilité sociale sont (1) « quand je m'exprime, ça fait mal aux autres ; il faut donc que je me retienne » (cette croyance dérive clairement de la naissance), et (2) « la planète souffre réellement de pénurie, donc, plus je possède de choses, moins les autres en ont et ce n'est pas juste ». Cette dernière croyance conduit à voir la vie avec l'œil d'un Robin des Bois, ou d'une façon marxiste, deux façons de voir qui donnent des lectures intéressantes, mais qui sont fondamentalement des produits de l'imagination.

Il n'y a pas de pénurie. Il y en a largement assez pour que chacun en ait plus que largement.

Rien ne manque, en fait, sauf dans nos esprits. Buckminster Fuller, entre autres, a scientifiquement démontré l'abondance naturelle des richesses sur la planète. En vérité, il est très clair qu'il y en a plus qu'il ne faut pour que chacun vive très bien. Les vrais problèmes sont des problèmes d'attitude, ce qui fait que partout dans le monde les gens se restreignent. Les relations planétaires reflètent les patterns familiaux.

La culpabilité sociale clame que les riches sont des méchants et que les pauvres sont des victimes. Vous commencez à croire que l'argent corrompt, et pour protéger votre innocence vous limitez subconsciemment votre réussite, ou bien vous la cachez.

La corruption recrute au moins autant chez les pauvres que chez les bien nantis. L'argent n'est pas mauvais ; l'argent est simplement de l'argent — un moyen d'échanges. Quand vous échangez de l'argent contre des produits ou des services, vous pouvez communiquer de l'amour ou du ressentiment ; c'est selon ce que vous pensez.

♡ ***Réussir, ce n'est pas priver les autres mais les inspirer.***

En outre, plus vous réussissez et plus vous pouvez contribuer au bien-être des autres. La seule façon dont vous pouvez réussir est de partager vos talents et de contribuer utilement à la vie des gens. Et la seule chose que vous pouvez faire avec l'argent que vous recevez pour votre contribution, c'est de contribuer davantage — en le dépensant, en l'épargnant, ou en l'investissant. L'argent n'a de valeur que lorsqu'il circule. Même dans une banque, il « sert », il est investi pour aider des particuliers ou des sociétés d'affaires qui, en retour, aident les particuliers.

Les gens bien nantis méritent également l'amour !

Vous pouvez avoir de la compassion sans pour autant prendre la douleur des gens à votre compte.

Imaginez un monde où la culpabilité sociale n'existe pas. Fermez les yeux, prenez une respiration, et imaginez un monde où les gens n'auraient pas peur et s'exprimeraient complètement, où ils utiliseraient tous leurs talents donnés par Dieu pour contribuer affirmativement au bien-être des autres. Fermez les yeux et adoptez cette vision dans votre cœur.

Un monde sans culpabilité est une planète d'individus autonomes qui délaissent la compétition et préfèrent coopérer de façon à obtenir le maximum à partir des ressources internes et externes.

Opération-déviation n° 11

Faites une liste de dix situations où vous agissez en pleine innocence, que ce soit quand vous mangez une crème glacée, quand vous prenez un bain, ou quand vous allez dans un parc d'attractions. Inscrivez ces activités dans votre agenda. Maintenant.

Et si cela vous semble construire un château en Espagne, c'est simplement parce que vous dépendez réellement d'une illusion qui est dans votre esprit, l'illusion de la culpabilité et de la séparation. Comment pouvez-vous retrouver votre innocence quand, dans votre tête, l'innocence est un paradis définitivement perdu, un utérus introuvable, un chez-vous où vous ne pouvez jamais retourner ?

Votre innocence n'est jamais à plus d'une pensée de distance ! En vous pardonnant complètement, vous arrivez à voir votre bonté naturelle. Votre cœur s'ouvre et vous vous rendez compte que vous pouvez faire confiance à votre intuition, que même votre culpabilité et votre souffrance étaient basées sur l'amour — mal dirigé, toutefois.

♥ **Nous confondons souvent culpabilité et conscience, nous pensons que nous devrions écouter la voix de la culpabilité de façon à vivre une vie intègre. La culpabilité, c'est la désapprobation de votre cœur par votre esprit. La conscience, c'est votre cœur qui rappelle à votre esprit ce qui vous tient à cœur. Ces deux notions sont plutôt opposées, ce qui n'empêche pas votre ego de vous dérouter en vous faisant penser que votre conscience est coupable.**

Votre conscience n'est jamais coupable. Elle est la voix de la sagesse qui amène votre culpabilité à la surface pour la jeter dehors, replaçant ainsi votre innocence sur son trône naturel.

Étant donné que la culpabilité est fonction de l'autodésapprobation, l'antidote est une dose massive d'amour de soi et de pardon. Vous vous sentez généralement coupable d'échouer, de réussir, de juger, de ressentir ; le remède est d'accepter tous ces aspects de vous-même et de cesser de les utiliser pour prouver votre loi primale.

Cependant, si votre conscience vous tourmente, vous aurez beau pratiquer le pardon ou l'acceptation, vous ne vous en sentirez pas mieux pour autant. Par exemple, si vous mentez compulsivement et que votre conscience vous rappelle de dire la vérité, le fait de vous pardonner de mentir ne suffit pas. Vous devez alors choisir de rompre l'habitude de mentir et vous le ferez en disant la vérité. Vous devez être prêt à changer votre comportement.

Si vous vous sentez coupable de réussir, le pardon est suffisant. Par contre, si votre conscience vous dit de payer vos taxes et si vous vous pardonnez de ne pas le faire, les choses ne sont alors faites qu'à moitié. Vous devez payer vos taxes. (Peut-être essayez-vous d'éviter de payer parce que, dans votre esprit, les taxes semblent apparentées à la mort.)

L'intégrité est ce qui apporte l'unité dans votre vie ; l'intégrité est le résultat que vous obtenez quand vous intégrez votre moi spirituel à votre comportement quotidien.

Le manque d'intégrité est ce qui désintègre l'unité — il provoque un démantibulement de votre vie. Il est donc pratique d'obéir aux suggestions de votre conscience. C'est simplement Dieu qui vous dit ce qui est bon pour vous, ce qui va vous rendre plus heureux.

La conscience est votre conseiller personnel idéal. Elle est votre ange gardien.

Si la conscience est la voix de la bonté dans votre cœur, qu'est-ce qui est bon ? D'après le dictionnaire, « bon » veut dire : « approprié, avantageux, réel, sain, heureux, suffisant, digne ». « Mauvais » veut dire : « qui n'est pas bon, qui n'a pas les qualités qu'il devrait avoir, défavorable, gâté, défectueux, malsain ».

Le bon est ce qui nous conduit au niveau le plus élevé du bon, disons à l'amour, à Dieu, à ce qui est supérieurement bon pour le plus grand nombre. Le bon est aussi ce qui favorise notre bien-être mental, physique, et spirituel. Le mal est ce qui nous écarte du chemin. La bonté est la route vers notre esprit parfait le plus profond, et le mal est la direction qui s'écarte de l'esprit, de l'amour, et de l'énergie créatrice. Vous pouvez voir le bon comme la puissance créatrice dans l'univers, et le mal comme le détournement de cette puissance à des fins destructrices.

Le bon est ce qui ouvre le cœur ; le mal est ce qui le ferme !

Opération-déviation n° 12

Faites une liste de contrôle de votre intégrité. Faites une liste des principaux domaines de votre vie : vos relations (Dites-vous la vérité, tout en vous aimant et en respectant les autres ?), votre travail (Contribuez-vous au meilleur de vos capacités ? Recevez-vous l'argent que vous méritez ? Avez-vous l'emploi qui vous convient le mieux ?), votre milieu de vie privée (Gardez-vous votre espace de vie en ordre ?), votre santé (Prenez-vous soin de votre corps ?), et ainsi de suite. Vérifiez cette liste tous les jours et visez la note cent sur cent. Quand vous négligez un domaine, pardonnez-vous, comprenez-en le pourquoi, et réengagez-vous à faire ce qui vous fait vous sentir bien.

L'histoire du paradis terrestre raconte l'origine du bien et du mal. Tant que Adam et Ève se sont nourris à l'arbre de vie, ils n'ont pas eu de problèmes. Ils étaient intègres parce qu'ils étaient nourris par la vie elle-même, et la vie est bonne, entière, complète et parfaite. Quand ils ont choisi de se procurer leur nourriture à l'arbre de la connaissance du bien et du mal, ils ont commis une erreur de pensée fondamentale. Ils ont supposé (1) qu'ils étaient séparés de Dieu et que la connaissance était la façon de surmonter la séparation ; (2) que le mal était un sujet qui valait la peine qu'on l'étudie et que la vie n'était pas bonne, ni suffisante, ni complète. Or, elle l'est. Donc, comme penser est une activité créatrice, ils ont créé davantage de mal à étudier. C'est cela, la tentation :

c'est attirer davantage de mal à vous en prétendant que c'est une recherche qui vaut la peine. L'expulsion du paradis terrestre a été simplement le résultat logique de ce choix d'étudier le mal, qui n'existe pas au paradis. Les composantes du mal sont le chagrin, la misère, la douleur, la maladie et la mort, et rien de cela n'existait au paradis. Le péché entraîne la punition parce que le péché est la séparation de nous-même. Le péché, c'est quand on rate la cible de notre bonté fondamentale (comme au tir à l'arc). Le péché est une erreur de pensée dont le résultat est une erreur de direction !

Les façons de retourner vers ce qui est bon sont, d'abord, de reconnaître vos erreurs de pensées et d'actions. La vie est essentiellement une série de leçons d'amour. Si vous n'êtes pas heureux, interrogez votre esprit jusqu'à ce que vous découvriez vos « mauvaises » façons de penser, et inversez-les. Prenez conscience que tous les obstacles apparents sont tout simplement des occasions déguisées de croissance. Reconnaissez le mal pour ce qu'il est : une rébellion contre la vie vécue dans le bon. Satan était le premier rebelle.

Ceci est un appel à tous les fils et filles prodigues, un appel à revenir chez vous. Vous le pouvez. La porte qui s'ouvre sur le monde vous sera fermée jusqu'à ce que vous reveniez chez vous en votre cœur.

Choisissez le chemin des bonnes actions : la bienveillance, la générosité, le pardon, l'amour. Le but des bonnes actions n'est pas d'obtenir l'approbation ou de gagner l'amour. Le véritable but des bonnes actions est d'exprimer, d'élargir, et de développer votre esprit qui est fondamentalement bon. Dans son sens le plus fort, l'évolution est le résultat de bonnes actions et la raison en est que les bonnes actions amènent l'intégrité alors que les mauvaises actions amènent la désintégration, la destruction, et la mort. De bonnes pensées, des mots bons, et de bonnes actions aident à l'alignement et à l'intégration croissants de votre corps et de votre esprit.

Reconnaissez que Dieu est ce qui est réel, et que le mal est une illusion qui ne vaut pas la peine qu'on la poursuive et qui est très dangereuse.

♥ **Voyez les choses ainsi : il y a la loi divine, la loi spirituelle, et la loi physique. L'évolution passe du divin au spirituel et au physique, puis retourne au divin.**

Selon la loi divine, vous êtes toujours bon et parfait, et il est inévitable que tous les esprits parviennent à cette réalisation.

Selon la loi spirituelle, la pensée est créatrice, vous avez le libre choix et vous pouvez créer ou détruire, car c'est vous qui choisissez.

Selon la loi physique, toute action entraîne une réaction, toute cause produit un effet.

La loi physique gouverne le royaume du comportement, et plus vous choisissez d'aligner votre comportement quotidien sur la loi divine, plus vous expérimentez l'intégrité dans votre vie.

La bonté est l'essence de l'amour, et un cœur ouvert est un cœur bon, sain, heureux et plein de sagesse.

Opération-déviation n° 13

Faites une liste de toutes les bonnes actions que vous êtes prêt à faire le mois prochain, et engagez-vous à les faire : planifiez-les dans votre agenda.

Implants au sujet de la culpabilité

Je suis innocent !

Je me pardonne d'avoir pensé que j'étais séparé.

Je me pardonne d'avoir prétendu que j'étais coupable.

Je me pardonne pour ma dépendance face à ma loi primale.

Je me pardonne d'avoir pensé que j'avais provoqué de la douleur à ma naissance.

Je me pardonne totalement.

Je suis la source du plaisir et de la douleur dans ma vie, et tous les autres le sont dans la leur.

Mon intention est d'aimer.

Mon amour me convient parfaitement et il convient parfaitement aux autres.

Ma vitalité est une force de guérison sur la planète.

Mon plaisir fait plaisir aux autres, et s'il ne leur plaît pas... bon, et après ?

Je m'aime, et les autres personnes ne sont pas mon problème.

Je peux avoir de la compassion pour les autres sans me charger de leur douleur.

Plus je gagne, plus les autres gagnent. Plus les autres gagnent, plus je gagne. En conséquence, je gagne toujours de plus en plus.

Je n'ai pas besoin de commettre un péché pour gagner.

Plus je gagne, plus je sens mon innocence.

Je n'ai pas besoin de perdre pour gagner.

Je suis totalement digne d'amour, que je gagne ou que je perde.

Les gens sont en sécurité quand ils sont en ma présence.

Comme les gens sont en sécurité en ma présence, ils n'ont pas besoin de ma protection.

Comme je suis en sécurité en présence des autres, je suis libre de m'exprimer totalement.

Je mérite d'être riche et prospère.

Ma fortune contribue au bien-être de tous les autres, et la fortune de tous les autres contribue à mon bien-être.

Je suis bon de nature.

Mon amour atteint toujours sa cible.

Je mérite de réussir sur toute la ligne.

Chapitre 8

Cœurs blessés

La plupart d'entre nous ont le bonheur d'avoir un cœur solide à l'épreuve des changements de fortune qui, après tout, font partie de la vie de chacun. Quand votre cœur est ouvert, vous traversez ces étapes de changements en ressentant vos sentiments et en apprenant davantage qui vous êtes et comment obtenir ce que vous désirez dans la vie. C'est un processus qui renforce votre cœur.

Une crise cardiaque, c'est une crise de cœur !

Quand vous intégrez les leçons de ces changements, vous devenez un adulte sain, par opposition à une grande personne qui « fonctionne ». Malheureusement, à mesure que vous passez par les étapes normales de la croissance, vous vous trouvez généralement face à des changements que vous ne savez pas du tout comment prendre — des changements qui vous dépassent complètement et qui peuvent vous rappeler l'implacable intensité de la naissance, des changements que vous amoindrissez compte tenu de vos expériences (ne parlons pas d'avoir intégré ces changements). Résultat : votre cœur se brise en morceaux et la douleur vous empêche de sentir l'unification que vous désirez. Nous préférons souvent nous raccrocher à cette vieille douleur parce qu'elle nous est familière et parce qu'elle semble nous protéger de la menace de l'inconnu.

Dans nos relations, plus nous recevons d'amour et plus la vieille douleur est activée dans le but d'être libérée. Si vous avez trop peur de laisser vos vieilles blessures montrer leur nez, la douleur et l'amour se heurtent et il en résulte un conflit.

♡ ***Un cœur en conflit est un cœur dans lequel le désir de s'abandonner et la peur de perdre sont enchevêtrés.***

La plupart de ces conflits sont logés dans de vieux patterns — de mauvaises habitudes enracinées dans des programmes négatifs qui datent de notre enfance —. Toute personne qui s'est engagée à vivre avec un cœur ouvert a choisi de déraciner ces programmes et de les remplacer par de nouvelles perspectives. De ce fait, vous serez porté à vous rappeler et à revivre les étapes les moins résolues et les moins intégrées de votre croissance. La croissance est une progression qui passe par la régression. Parfois, c'est comme si vous retombiez dans des expériences et des émotions que vous avez laborieusement tenté de dépasser. Mais ce n'est pas vrai. Vous pouvez revivre votre passé sans en être submergé. En fait, c'était cette idée de submersion qui vous avait amené à vous fermer au tout début. La vie ne vous donne jamais plus que ce que vous pouvez prendre.

Quand nous sommes de tout petits enfants, puis des enfants, puis des adolescents, nous apprenons en imitant. Nous sommes des acteurs-nés et nous avons un savoir-faire instinctif pour copier les manières des gens que nous aimons de façon à leur faire plaisir. Nous jouons au papa et à la maman, nous jouons au docteur, nous jouons aux cow-boys et aux indiens. Et, à un niveau plus profond, même si nous le faisons subconsciemment, nous jouons les feuilletons-mélodrames et les comédies des relations de nos parents.

En matière de cœur, il est évident que nos parents sont nos premiers modèles de rôles. Nous sommes enclins, dans nos relations d'adultes, à copier leurs façons d'être en relation l'un avec l'autre et avec nous. Ou alors nous nous rebellons compulsivement contre ces façons. Et étant donné que c'est ce à quoi nous résistons qui reste ancré en nous le plus longtemps, c'est toujours avec nos parents que nous finissons par nous retrouver. (J'avais juré mes grands dieux que je ne serais jamais avec quelqu'un qui serait comme ma mère. Donc, une fois que je suis devenu une grande personne, j'ai attiré des femmes qui n'avaient rien en commun avec elle. Et puis j'ai fait de gros efforts pour que ma partenaire devienne ma mère, de façon à pouvoir me défouler sur elle de tout mon ressentiment. C'est seulement après avoir complètement pardonné à ma mère et après être devenu ami avec elle que ce pattern a totalement disparu.)

Autrement dit, les problèmes que nous avons perçus dans les relations de nos parents entre eux et dans leurs relations avec nous sont devenus nos problèmes. Et ces problèmes, nous les faisons nôtres parce que (1) nous aimons nos parents, (2) nous voulons sauver nos parents, (3) nous voulons faire plaisir à nos parents, et (4) la façon d'agir de nos parents est la seule que nous connaissons quand nous sommes enfants.

Vous ne pouvez vous lier avec un partenaire qu'une fois que vous vous êtes libéré de vos parents.

Si vous êtes un homme, vous pouvez attirer une femme qui ressemble à votre mère ou à votre père, dépendamment de celui de vos parents avec lequel la situation est la moins résolue. De la même façon, si vous êtes une femme, l'homme que vous avez choisi peut avoir les qualités de votre mère ou de votre père. Ou peut-être que votre compagnon de vie est un mélange de tout ce qui n'est pas éclairci avec chacun de vos parents. Il se peut également que vous passiez de votre mère à votre père au cours de relations successives — dans votre tentative d'équilibrer vos propres qualités féminines et masculines.

Le point précis où nous fermons notre cœur à nos parents, ou bien où ils nous ferment leur cœur, ou bien encore où ils se ferment le cœur l'un à l'autre, devient très précisément le point où notre cœur se ferme à ceux que nous aimons.

♡ ***Ce que vous n'aimez pas en votre partenaire est fréquemment ce que vous n'avez pas pardonné à vos parents.***

Opération-déviation n° 14

Faites quatre listes séparées où vous écrirez (1) cinq problèmes dans la relation de vos parents, (2) cinq problèmes dans la relation que votre mère avait avec vous quand vous étiez enfant, (3) cinq problèmes dans la relation que votre père avait avec vous quand vous étiez enfant, et (4) cinq problèmes dans vos relations les plus récentes. Remarquez les patterns.

Cas n° I

Vous êtes une femme dont le père travaillait tard, rentrait fatigué à la maison, et disparaissait derrière son journal ou devant la télé, où il s'endormait régulièrement. Ce que vous sentiez alors, c'était que votre père vous négligeait, ne vous accordant jamais l'attention que vous souhaitiez recevoir. Vous devenez une grande personne, et vous attirez une série d'hommes qui sont tous des drogués de travail qui vous négligent (c'est du moins ce que vous ressentez). D'après vous, vous ne pouvez jamais obtenir l'attention dont vous avez besoin de la part d'un homme parce que, dès le tout début, vous ne l'avez jamais obtenue. Vous êtes bloquée dans la négligence passée. En fait, votre amour et votre loyauté envers votre père vous rendent dépendante de la négligence. Si un homme commence à vous donner l'attention que vous recherchez consciemment, vous le rejetterez, l'éviterez, ou il ne vous intéressera tout simplement pas. Vous jouerez le rôle du parent négligent. Subconsciemment, vous préférez la négligence parce que, même si cela vous fait mal, cela vous rappelle votre père. Rien ne vaut un « chez-soi ». Et de plus, la négligence vous permet de sentir la douleur que vous voulez libérer.

Cas n° II

Vous êtes un homme dont la mère était alcoolique. En tant qu'adulte, votre pattern est d'attirer des femmes qui (1) sont alcooliques, (2) aiment boire à l'occasion mais qui, d'après vous, ont un sérieux problème de boisson. Vous attirez ce à quoi vous êtes habitué, et si le comportement ne correspond pas à l'image que vous en avez, vous projetez l'image sur le comportement. Vous voyez les femmes en termes d'alcool ; vous pointez sans arrêt des petits riens de leur comportement que vous analysez comme des signes de dépendance. Vous espérez secrètement sauver votre mère, mais c'est sans espoir. Moins votre partenaire boit, moins elle vous rappelle votre mère et plus vous êtes déçu. Peut-être alors que vous vous mettez à boire. Ou peut-être que vous trouvez finalement une femme qui n'a jamais touché à l'alcool de sa vie, mais la voilà bientôt qui se met à engloutir de grandes quantités d'alcool sans même savoir pourquoi. Ce qui se passe, c'est que son père la désapprouvait, et elle a subconsciemment besoin d'être désapprouvée par vous. Elle vous aime tellement qu'elle ferait n'importe quoi pour que vous la désapprouviez. Elle va même jusqu'à boire.

Cas n° III

Vous êtes une femme et vous avez été maltraitée quand vous étiez enfant. Votre père vivait des conflits et il était en colère, et votre innocence lui rappelait tout ce qu'il pensait avoir perdu. Cela le rendait furieux et il vous battait, généralement quand vous étiez pleine de vie et heureuse. En ce temps-là, ce que vous en compreniez était : amour égale abus. Et votre culpabilité primale était également renforcée. Si votre père, l'homme que vous aimiez le plus, vous battait, c'est certainement qu'il y avait quelque chose en vous qui n'allait pas. Vous développez subconsciemment une dépendance à la douleur et à la punition.

Vous devenez une grande personne, et une chose est très claire pour vous : vous ne voulez pas d'un homme hostile. Vous cherchez un homme gentil qui prenne bien soin de vous. Malheureusement, votre désir secret d'être punie fait que vous attirez des hommes qui portent en eux une incroyable hostilité refoulée. Plus vous aimez ces « gentils » hommes, plus vous déclenchez ce qui n'est pas résolu en eux. Votre amour est si puissant et votre désir de guérir votre père est tellement fort que vous n'êtes pas satisfaite tant que votre homme ne ressent pas ses émotions, ce qui dans votre esprit est synonyme de violentes explosions, et aussi étrange que cela puisse paraître, sa rage justifie à la fois votre culpabilité et votre ressentiment. Il faut que vous ayez raison dans votre perception : « Les hommes me font du mal ! »

Il est évident que vous avez tendance à attirer des hommes qui ont une bonne dose d'hostilité réprimée, probablement envers leur mère. Votre amour leur rappelle leur mère possessive, et leur rage primale les amène à vous battre plutôt que de s'abandonner.

Cas n° IV

Vous êtes une femme dont les parents ont divorcé quand vous aviez trois ans. Votre père est tombé amoureux d'une autre femme et vous ne l'avez jamais revu. Vous avez grandi avec votre mère, et vous pensiez alors que vous étiez la cause de la séparation. Ce que vous en comprenez, c'est que votre présence provoque la séparation et que l'homme que vous aimez part toujours.

Vous devenez une grande personne et vous réalisez que vous pouvez avoir de merveilleuses relations avec les hommes, des relations pleines d'amour, qui durent généralement de deux à trois ans. Mais plus vous approchez de la limite des trois ans, plus votre besoin subconscient de provoquer la séparation devient fort. Consciemment, vous voulez une relation qui dure longtemps, mais votre secrète dépendance à la culpabilité et à la séparation sabote le tout. Quand la limite des trois ans approche, votre partenaire est attiré par une autre femme. Finalement, il tombe amoureux et il part, tout comme votre bon vieux papa.

Le laps de temps après lequel vos parents vous ont donné l'impression de vous retirer leur affection tangible est le laps de temps où vous avez tendance à provoquer la séparation dans vos relations adultes. La force attractive de la tradition familiale ne devrait pas être sous-estimée. D'après vous, votre amour sépare les gens, vous vous interposez toujours entre les gens pour recevoir de l'amour, et les hommes vous quittent. Or, cela constitue la base d'un pattern incestueux typique. Vous vous trouverez toujours empêtrée dans des relations à trois, soit que vous serez attirée par des hommes mariés, soit que vous recruterez une autre femme qui rivalisera avec vous pour gagner votre homme.

Les principaux patterns qui semblent engendrer des cœurs blessés sont : la lutte, la culpabilité, la désapprobation, l'impuissance, la revanche, et l'inceste.

Ces patterns semblent parfois désespérément incrustés dans notre personnalité et nous pensons que nous ne pourrons jamais nous en libérer. Il est important de nous rappeler que les patterns ne sont pas des toiles d'araignée tissées dans le cosmos et dans lesquelles nous sommes piégés ; les patterns ne sont rien d'autre que d'anciens choix restés dans notre subconscient, de mauvaises habitudes que le cœur a prises, une nostalgie du passé. Comme un pattern est inconscient, la première étape de la transformation consiste à prendre conscience du pattern.

Dire « non » à ce que vous ne voulez pas ouvre la porte à ce que vous voulez vraiment.

La deuxième étape consiste à constater la puissance de la dépendance au passé. Reconnaissez la sécurité de ce qui est familier. Même si vous pensez que ce n'est pas ce que vous souhaitez, vous savez bien que vous pouvez survivre au départ des hommes qui vous quittent ; en outre, les sentiments familiers de pitié de soi et de solitude sont un terrain bien connu de vous. Votre loi primale vous semble bien réelle à ce niveau de dépendance, et il est quelquefois plus libérateur de lui céder que de lui résister, surtout si vous êtes prête à respirer profondément et à changer d'avis.

La troisième étape consiste à laisser aller le passé. Vous avez souvent l'impression que le passé s'accroche à vous, mais ce n'est jamais le cas. Vous n'êtes pas une victime ! Vous savez bien que c'est vous qui vous cramponnez et que vous pouvez utiliser cette même énergie pour vous décrocher et accueillir un nouvel amour.

♡ ***Vous accrocher à ce que vous ne voulez pas est une façon très efficace de fermer la porte à ce que vous voulez vraiment.***

Quand nous étions enfants, nous avons tellement été blessés que nous avons alors décidé de toujours nous venger. Et de frapper les premiers ! Le pattern de la revanche, comme d'autres patterns, peut finir par être masqué — et généralement il le devient. Si, étant enfant, vous aviez l'impression que la vie est une série d'attaques, vous pouvez fort bien être devenu une grande personne vindicative. Votre pattern est d'amener les autres à vous aimer, puis de les blesser profondément. En votre for intérieur vous pensez que vous ne pouvez faire confiance à personne, que vous ne pardonnerez jamais à vos parents, et que le sadisme apporte plus de satisfactions que le masochisme. Vous voyez la vie comme une compétition entre des rats, et vous serez le premier à la ligne d'arrivée, peu importe le reste. Vous préférez être le bourreau que la victime, comme s'il y avait une différence fondamentale.

Si vous êtes bloqué dans la revanche et que vous attirez quelqu'un de bien décidé à vous aimer, vous aurez du pain sur la planche ! Vous ferez tout ce que vous pourrez pour détruire l'amour avant que l'amour ne détruise le pattern. Vous allez désapprouver, éviter, négliger, et même frapper un partenaire si l'amour constitue une menace assez importante pour vous. L'ironie, c'est que la seule chose pour laquelle l'amour peut constituer une menace, c'est la douleur — l'amour veut déloger l'ancienne douleur. Mais dans votre tête, sentir la douleur veut dire être à nouveau vulnérable aux attaques, et vous avez déjà choisi votre système de défense.

Le choix de pardonner et non de se venger est le point crucial de la transformation. Choisir de partager votre mal, et non votre colère, c'est choisir d'aimer à nouveau. Et plus vous vous concentrez sur la réalité de votre lien de cœur avec votre partenaire, plus l'illusion de la séparation disparaît. Et quand la séparation s'évanouit, les patterns de la séparation s'évanouissent aussi.

Les gens résistent à ce qu'ils désirent le plus.

La quatrième étape pour libérer les programmes négatifs consiste à prendre conscience de votre peur du changement, et à être honnête à ce sujet. Si vous avez l'habitude d'être abandonnée, le fait d'être avec un partenaire qui refuse de partir est une « confrontation » de taille. Ça ne « colle » pas avec ce qu'il y a dans votre esprit ou dans votre cœur. Si vous êtes attirée par des hommes qui n'ont pas d'argent parce que votre père était pauvre, le fait qu'un homme prospère vous aime va très certainement vous secouer, vous mettre très mal à l'aise, triste et même en colère. Vous aurez l'impression que vous trahissez la tradition familiale.

Voici pourquoi nous résistons à ce que nous désirons le plus. L'accepter vous donne l'impression de couper le cordon de votre propre histoire qui, bien que distordue, est encore connue. À ce stade, cela peut être comme si vous alliez véritablement disparaître par le simple fait de lâcher. La peur de l'inconnu nous replonge souvent dans l'obscurité du passage que nous avons emprunté pour naître et dans notre profonde méfiance à l'égard de toute forme de délivrance.

La cinquième étape de la transformation consiste à aller réellement chercher ce que vous voulez, et non pas d'attendre d'en avoir complètement fini avec votre passé. Allez-y, même si votre esprit dit : « Non, non, non. » Marcher vers le succès dans la vie est la façon la plus rapide d'en finir avec le passé. Plus vous mettez l'énergie de votre cœur à soutenir les vrais désirs de votre esprit, plus vous faites de percées dans la prison qu'est votre passé.

Les liens du cœur

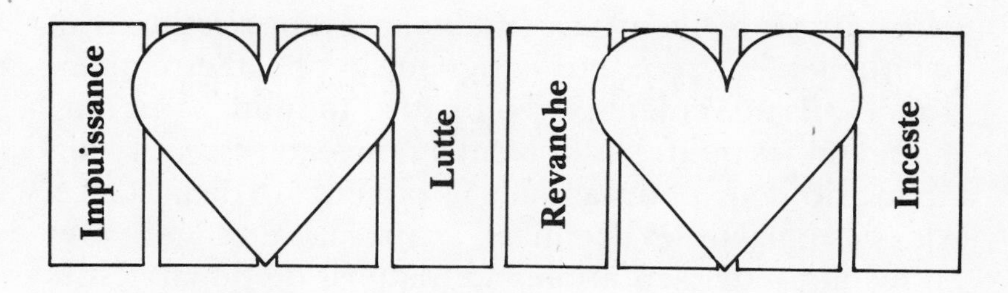

Se concentrer sur l'amour fait disparaître les patterns!

Soyez clair au sujet de ce que vous voulez vraiment. Ne restez pas dans le vague. Et mettez-vous en route dans la bonne direction. Si vous n'êtes pas clair à propos de ce que vous voulez, vous ne le reconnaîtrez pas quand il vous viendra. Vous serez bien trop occupé à chercher ce qui constitue de vieux attraits familiers à votre esprit.

Entourez-vous de toute une famille de gens qui vous soutiennent dans votre croissance, et non dans votre dépendance à la misère. Soyez prêt à répondre de vos actes devant ces gens, surtout si ces gens ne correspondent pas exactement à ce que vous appelez « des amis » parce qu'ils n'encouragent pas les mensonges que vous dites à propos de vous-même. Un groupe de soutien est essentiel pour transformer l'expérience que vous avez de vous-même dans la famille, et étant donné que la famille est à l'origine de toutes vos relations, c'est là que commence la vraie guérison.

Les relations suivent en général le cycle vie/mort, tout comme les gens. Si vous êtes bloqué dans la peur de la perte, vous ferez subconsciemment votre cœur reculer devant tout amour disponible, vous guetterez attentivement tous les signes de détérioration et vous attendrez secrètement que le pire arrive. Ce sont souvent ceux qui ont le plus peur de la perte qui partent les premiers, soit émotionnellement, soit physiquement. Les gens qui ne peuvent pas rester dans une relation sont habituellement ceux qui craignent le plus d'être abandonnés. Ils ne veulent pas connaître l'intimité parce que, quand on les quitte, ils doivent à nouveau ressentir l'ancienne douleur pour laquelle ils ont encore de la colère. Alors ils partent les premiers, et ainsi ils se vengent tout en évitant leurs sensations. Le pattern de départ est le pattern qui provoque la fin des relations.

Je me souviens quand la forte envie de la mort s'est présentée dans ma relation avec Mallie, ma femme. C'était une force brutale et puissante qui nous a presque anéantis. C'était le point précis où toutes mes relations précédentes s'étaient effondrées, le point précis où partir semblait inévitable. J'ai alors fait deux choses d'importance majeure pour vaincre ce pattern, et cela pourrait avoir un intérêt pour vous. D'abord, à chaque fois que je sentais que l'énergie « de départ » montait en moi, je hurlais « Je t'aime et je ne te quitterai jamais ! », sans tenir compte de la force avec laquelle je sentais que Mallie me repoussait loin d'elle. Je prenais toute cette énergie de départ et je choisissais de la projeter dans la pensée de rester. Après, on se retrouvait généralement dans les bras l'un de l'autre, en larmes, et nous avouant notre amour et notre peur de le perdre.

La deuxième chose était un jeu qui consistait à passer vingt-quatre heures en contact physique. C'était un jeu fou, drôle, difficile à jouer, mais nous sentions que pour gagner la partie, la seule chose que nous avions à faire était de jouer le jeu. Nous sommes allés à une soirée. Nous étions bras dessus bras dessous, et la force de séparation nous tiraillait dans tous les sens. Nous avons attiré d'autres femmes, d'autres hommes, toutes les distractions possibles ; nous jouions notre pensée de séparation. C'était une danse complètement folle que nous avons dansée cette nuit-là, mais nous avons tenu le coup, affirmant notre volonté de nous laisser aller à l'amour jusqu'à ce que cette volonté exorcise le démon de la perte. Et puis, tout à coup, l'énergie de division a reflué. Elle a disparu tout aussi mystérieusement qu'elle avait d'abord apparu. Nous étions à nouveau unifiés. La connexion du cœur de deux personnes conscientes peut triompher de n'importe quelle pensée négative !

Les gens restent pris à différents stades de croissance. Une personne est en colère à cause d'une expérience prénatale de tentative d'avortement ; une autre est profondément déprimée parce que sa mère est morte en lui donnant naissance ; une troisième souffre du divorce de ses parents quand elle avait six ans. Apprendre à communiquer votre amour aux gens dépend souvent de vous autant que de là où eux ils en sont psychologiquement et émotionnellement.

Ce n'est pas toujours approprié ni même possible de mettre le doigt sur les événements qui ont modelé une personnalité particulière, mais votre intuition peut vous fournir toutes les informations nécessaires. Le fait d'avoir votre cœur ouvert vous permet de « lire » émotionnellement une personne. Les étapes de la croissance ont généralement des caractéristiques précises, mais chaque personne est un être unique, qui fait son propre voyage dans la vie. En vous ouvrant à vous-même, vous recevez la connaissance des autres. Et plus vous reconnaissez où les autres en sont dans leur propre esprit, plus vous pouvez garder votre cœur ouvert et constater que leur comportement a peu de choses à voir avec qui vous êtes.

Quand nous cessons de prendre les autres d'une façon aussi personnelle, nous nous sentons libres d'être nous-même et de partager l'amour ; nous laissons les graines atterrir là où elles atterriront. Plus vous devenez clair, plus vous fournissez aux autres un espace naturel pour se clarifier. Vous commencez à aimer les gens et vous les regardez « laisser aller » quand ils sont avec vous. Quand vous expérimentez le pouvoir de guérison de l'amour et que vous choisissez d'aimer les autres inconditionnellement, vous devenez un thérapeute au cœur ouvert. Quand votre cœur reste ouvert quoi que votre esprit fasse, chaque jour de votre vie est la scène de très grands miracles. En fait, les miracles deviennent même des lieux communs.

Les étapes de la libération

I
Prenez conscience de ce qui se passe.
Les hommes que j'aime me quittent.

II
Prenez conscience de votre dépendance.
Pauvre moi ! Je ne garderai jamais un homme.

III
Pardonnez au passé

1. **Pardonnez-vous de l'avoir provoqué.**
2. **Pardonnez totalement à votre mère.**
3. **Pardonnez totalement à votre père.**

IV
Prenez conscience de votre peur du changement.
Un homme qui veut rester me terrifie.

V
Allez-y !
Je choisirai qui je veux, et je passerai au travers de la peur.

Chapitre 9

Peu importe : ayez de l'amour pour vous

Vous l'avez vu marcher dans la rue — fort, tranquille, indépendant. De lui se dégagent une confiance et une sûreté de soi que vous avez toujours admirées, et peut-être même enviées. Pourtant, il n'a pas l'air de quelqu'un de vaniteux. Il est équilibré, ouvert, prêt pour le moment. Sa confiance dans la vie fait que le souci et l'anxiété n'ont pas de raison d'être. Il est calme, et pourtant il déborde de vitalité. Son corps est détendu sans être apathique. Ses yeux sont clairs et son sourire est authentique. Voici un homme qui est à l'aise avec son passé, qui sait où il va, et qui aime là où il en est. Qui est cette personne ? Est-ce que ça pourrait être vous ?

La clef pour ouvrir la porte à votre potentiel illimité est l'amour. Seul l'amour peut vous libérer ; seul l'amour peut vous guérir ; et l'amour commence par vous aimer d'abord vous-même. Il est inutile de chercher en dehors de vous ce que vous ne vous êtes pas d'abord donné. L'amour commence chez soi, par soi ! Vous ne trouverez jamais la parfaite petite amie — sans parler d'une compagne — si vous n'êtes pas devenu votre propre partenaire idéal.

J'entends très souvent les gens dire : « Je me déteste d'être comme ça », « Je me déteste de faire ça », « Je me déteste de dire ça ». Vous détester pour des choses dont vous voudriez qu'elles soient autrement entrave le processus de la croissance. La haine est une antifécondité. Qu'importe ce que vous pensez, dites, ou faites, vous méritez toujours votre propre amour et votre propre respect. Vous pouvez apprendre vos leçons dans la vie sans vous détester à cause de vos problèmes.

À mesure que vous triomphez de votre culpabilité, vous commencez à sentir que vous méritez vraiment beaucoup plus que tout ça.

À mesure que vous commencez à voir ce monde comme une récompense et non comme une punition, vous réalisez qu'il doit y avoir quelque chose de vraiment merveilleux en vous pour que vous vous trouviez dans un parc d'attractions aussi incroyable, à savoir : la vie.

À mesure que votre cœur s'ouvre, vous commencez à découvrir l'infini réservoir d'amour qui est à votre disposition, et tout à coup vous êtes en mesure d'apprécier à quel point c'est extraordinaire d'être en vie. Beaucoup d'entre nous considèrent la vie comme allant de soi et s'arrêtent rarement pour remarquer que, tant que nous sommes en vie, nous sommes en possession du cadeau le plus précieux de tout l'univers : la vie elle-même. C'est le cadeau d'où proviennent tous les autres cadeaux, le cadeau que nous n'échangerions pas contre tout l'or du monde.

Pensez à ceci, juste une minute : vous possédez déjà quelque chose qui a plus de valeur pour vous que toutes les richesses du monde !

Une attitude de reconnaissance envers le fait d'être en vie est l'ingrédient n° 1 dans la recette de l'estime de soi. Plus vous vous sentez connecté à votre choix d'être en vie, plus vous vous sentez bien dans votre choix. Vous avez vraiment bon goût ! La vie, quel choix excellent ! Il est clair que vous *choisissez* la vie tant que vous ne choisissez pas la mort. Votre envie de vivre est plus forte que votre envie de mourir. C'est vraiment merveilleux !

Les autres pensent de vous la même chose que vous.

Il vous est impossible de donner plus d'amour aux autres que vous ne vous en donnez à vous-même, et il vous est également impossible de recevoir des autres plus d'amour que vous n'en recevez de vous-même. Vous seul êtes la source de l'amour dans votre vie. Les gens que vous rencontrez sont toujours le reflet parfait de ce que vous pensez de vous.

Si vous vous accrochez encore à l'idée qu'il y a quelqu'un quelque part (un chevalier revêtu d'une armure brillante ou une blonde damoiselle) pour qui vous allez perdre la tête, qui va tout chambouler dans votre vie et résoudre tous vos problèmes, laissez tomber cette idée ! Cette quête romantique est une fiction — une recherche désespérée de la réalisation d'un doux rêve, un désir de retisser le cordon ombilical, de trouver le substitut parental idéal. Il n'y a de M. ou Mlle Idéal nulle part. Il y a seulement vous !

Devenez votre propre partenaire idéal. Vous êtes M. Idéal ! Vous êtes Mlle Idéal !

Il n'y a que vous qui puissiez remplir le vide en vous !

De plus, si quelqu'un vous aime plus que vous ne vous aimez vous-même, vous allez tout simplement le repousser, l'éviter, ou penser qu'il ment. Ou alors vous allez lutter pour gagner l'amour que vous pensez ne pas mériter.

Et si vous aimez quelqu'un plus qu'il ne s'aime lui-même, il vous rejettera ou il luttera pour que vous le rejetiez. Ou bien vous allez essayer de le changer, et il vous en voudra. Ou bien encore, il changera pour vous faire plaisir, et puis il vous quittera.

L'amour inconditionnel, tout comme la charité, commence chez soi. Vous ne pouvez pas apporter aux autres l'amour que vous avez négligé de vous apporter à vous-même. Commencez par être bon avec vous-même. Commencez par avoir de la gratitude pour vous-même.

Opération-déviation n° 15

Portrait de l'estime de soi ! Écrivez l'énoncé suivant en haut d'une feuille : « Ce que je suis : ... » et faites la liste de toutes les qualités (positives et négatives) que vous pensez avoir. Remplissez toute la page. Écrivez tout ce qui vous vient spontanément, sans vous soucier si c'est vrai ou non. Quand vous avez terminé, soulignez toutes ces caractéristiques qui vous semblent positives. Vous êtes en train de regarder le portrait de votre actuelle estime de vous. Les qualités « négatives » sont toutes ces choses pour lesquelles vous voulez vous pardonner, ou dont vous voulez inverser l'effet en implantant de nouvelles pensées.

Faites un petit plongeon dans votre propre perfection !

En un sens, votre identité est fonction de deux navires passant dans la nuit. L'un d'entre eux ne va nulle part. Il est déjà là — il est le « vous » constant, le « vous » parfait qui ne change jamais ! C'est la partie de vous qui sait que vous savez déjà, c'est l'observateur impartial, le témoin n° 1, la partie qui remarque que « Oh, tu refais encore ça », mais qui ne porte pas de jugement. L'autre navire se déplace, il subit des tempêtes, il évite des icebergs, il corrige son itinéraire, il recherche une destination.

Vous êtes ces deux navires — l'un constant, parfait, l'autre changeant et imparfait. Une partie de vous est aussi solide qu'un rocher, l'autre partie est l'eau qui coule continuellement sur le rocher. Les clefs de la vie sont de vous rappeler qu'au cœur de vous-même existe un centre d'amour qui est parfait, d'accepter votre coquille changeante et imparfaite, et d'apprendre à changer de cap au milieu du courant quand vous vous rendez compte que vous allez à contre-courant.

L'acceptation de soi est la première étape vers l'estime de soi. Le fait de vous accepter dans toute votre ambiguïté et votre contradiction apparentes et de vous permettre d'être qui vous êtes sans porter de jugement crée un contexte pour aimer les autres inconditionnellement.

Le respect de soi est la deuxième étape : le fait de vous respecter, où que vous en soyez dans votre vie, quelles que soient vos limites apparentes, peut être un tremplin pour faire des bonds conséquents.

Le respect de soi peut ouvrir la porte à l'intuition divine. Peut-être que vous ne vous faites pas assez confiance. Peut-être que vous cherchez d'autres personnes pour vous donner des directives dans la vie, mais comme vous ne vous faites pas confiance à vous-même, vous ne pouvez pas véritablement faire confiance aux autres. Vous êtes coincé entre votre impuissance et votre méfiance, et vous savez que tant que vous ne pourrez pas compter sur votre propre intuition, vous serez toujours très méfiant avec les autres, même si vous recherchez leur avis !

Ne vous blâmez pas parce que vous doutez des autres. Tout le monde n'est pas totalement digne de confiance, et il est probable que vous reflétiez l'image du doute que les autres ont à propos d'eux-mêmes. Les personnes auxquelles on peut faire confiance varient selon ce que l'on a à confier. Une des clefs pour des relations réussies est de savoir quoi confier à qui, et quand le confier. La plupart des gens qui réussissent dans les affaires savent cela.

Peut-être pensez-vous que vous devriez tout le temps faire confiance à tout le monde. C'est absurde ! Il est sécuritaire et approprié de faire confiance à votre propre méfiance. La paranoïa peut être saine quand elle est à doses réalistes.

Vous n'avez pas besoin d'être naïf pour aimer. Le véritable amour n'est jamais aveugle. Le véritable amour voit la vérité et il la dit, il sait que la vérité est toujours libératrice, même si ce que vous dites ressemble à : « Je ne te fais tout simplement pas confiance ». Quand vous dites la vérité, vous rendez service à votre estime de vous et au bien-être des autres, peu importe de quoi a l'air ce que vous dites. Faites confiance à la vérité de chaque moment !

« Non, merci » est une réponse d'amour.

Dire et accepter un « non » comme réponse peut souvent être un conflit pour le cœur. Le conflit n'est pas nécessaire. Un bon ami peut toujours accepter un « non ».

Quand vous dites « oui » alors que vous voulez dire « non », vous vous trahissez vous-même et votre estime de vous dégringole. La peur de dire « non » est très souvent la peur de blesser quelqu'un. Vous voulez protéger cette personne de la douleur. Cette culpabilité vous fait, soit fermer votre cœur — et alors vous avez l'air d'être en colère quand vous dites « non » —, soit dire « oui » par obligation — et vous en serez contrarié ensuite.

Opération-déviation n° 16

Prenez une feuille blanche. Écrivez en haut de la feuille : « Les choses pour lesquelles je veux me remercier sont... », et faites une liste d'au moins vingt-cinq choses pour lesquelles vous êtes prêt à vous approuver. Ne soyez pas modeste ; ne vous diminuez pas. Autorisez-vous à chanter vos propres louanges pendant un petit moment. Souvenez-vous : quoi que vous ayez créé dans le passé, c'est VOUS qui étiez le créateur, et vous méritez de reconnaître votre propre créativité, peu importe le reste.

Vous pouvez très bien dire « non » avec toute une énergie d'amour derrière ce « non ». Les gens ne veulent pas vraiment que vous disiez « oui » si vous pensez « non ». C'est leur manquer de respect. Quand vous le faites, ils reçoivent un double message qui les rend perplexes et les met mal à l'aise avec ce qu'ils reçoivent.

Évidemment, vous aussi vous devez apprendre à prendre un « non » pour réponse. Peut-être que l'une de vos raisons de dire « oui » trop souvent aux autres est que vous voulez vous protéger de tous les « non » que vous avez peur d'entendre. C'est comme si nous avions tous un quota de rejet, et quand nous avons été suffisamment rejeté, nous arrêtons de nous rejeter nous-même et les autres commencent alors à nous accepter plus totalement.

Tout rejet est une acceptation déguisée.

La plupart des gens n'épuisent jamais leur quota de rejet parce qu'ils vivent dans une telle peur et une telle impuissance qu'ils ne prennent même que rarement le risque de demander ce qu'ils veulent. Ils se retiennent en pensant qu'ils se protègent, mais en fait, ce qu'ils protègent ainsi n'est rien d'autre que leur peur. Pour venir à bout de la peur du rejet, il faut se faire une habitude de demander ce que l'on veut. Si vous obtenez un « non » en réponse, trouvez et libérez la pensée négative avec laquelle quelqu'un est d'accord. Apprenez la leçon et passez à la question suivante.

N'importe quel vendeur qui fait de bonnes affaires vous dira que ceci est vrai. Une fois que vous démêlez votre estime de vous d'avec les réactions des autres gens à votre égard, vous êtes sur la bonne voie pour obtenir ce que vous voulez vraiment.

Je me rappelle quand j'ai décidé d'atteindre mon quota de rejet. J'avais toujours eu l'impression que je n'étais pas à la hauteur. Et j'étais dépendant du rejet. C'était ma façon préférée de me torturer moi-même avec la douleur de ma propre médiocrité. Quelquefois, j'essayais d'ignorer royalement l'habitude en ne demandant pas ce que je voulais, et je me protégeais ainsi de l'échec, mais ce faisant je perdais quelque chose de précieux.

Un jour de l'automne 1976, un ami m'a suggéré que je n'avais peut-être pas été assez rejeté. Cette idée biscornue a fait mouche. J'ai commencé à me dire que mon quota de rejet n'avait pas encore été atteint, que quand j'aurais été assez rejeté j'en viendrais à voir que cela n'avait rien de personnel et je commencerais à m'accepter davantage. En tout cas, l'idée m'a intrigué et j'ai décidé de la tester en faisant une petite expérience. J'allais aller sur la 5e Avenue, et je ferais des propositions à toutes les belles femmes que je verrais jusqu'à ce que j'en finisse avec ma peur du rejet.

Je me rappelle le premier essai. Cette belle blonde s'est approchée — une vraie Farrah Fawcett —. Mon corps tremblait comme un mélangeur en pleine action, mais je me suis dit : « Sacré bon sang, il faut bien commencer à un moment donné ! » et je me suis jeté devant elle, lui bloquant le passage.

« Excusez-moi, mademoiselle », ai-je bredouillé. Nous nous sommes regardés et je pouvais voir un tas d'idées étranges lui traverser l'esprit. Je veux dire, je pouvais littéralement me voir avec ses yeux. « Êtes-vous libre cette nuit ? » Elle a ri une fois, puis une deuxième fois. Et elle s'est discrètement éclairci la gorge et m'a contourné comme si je n'étais rien d'autre qu'un meuble placé sur son passage. J'étais accablé, totalement dévasté. Je me suis glissé dans l'entrée d'un magasin pour rassembler mes morceaux. Mes larmes dégoulinaient. Mon corps était pratiquement en convulsions. Très intéressant ! Une femme que je ne connais pas a dit « non », et je me retrouve complètement délabré !

Je n'allais évidemment pas me laisser abattre par un coup pareil même si je me sentais très humilié. J'étais bien décidé à me remettre sur mes pieds, à rassembler mes forces, et à y aller. Je suis resté à ce coin de rue toute la journée et les deux jours suivants. J'ai bien dû approcher cent femmes — toutes formidables, figurez-vous ! Certaines m'ont carrément marché sur les pieds. D'autres m'ont balancé un direct, le direct de Ali, et se sont éloignées en sautillant. Quelques-unes, pas beaucoup — une seule, en fait — était dans les cordes, mais c'est alors que son mari a fait son apparition.

C'était drôle, pourtant. Après les premières soixante-dix (environ), la sensation était différente. Je veux dire, au début, à chaque fois que je recevais un « non », j'avais l'impression que c'était la fin du monde. Mais après un petit moment, ça ne faisait plus autant mal. Peut-être était-ce parce que je m'attendais au pire et que j'étais donc moins déçu, mais je pense que c'était plus que cela.

Toutes ces femmes qui me disaient « non », je pouvais voir que, en fait, elles me disaient « oui ». Je veux dire, c'était moi qui disais « non ». Je me disais : « Bob, tu n'vaux rien. Les femmes que tu veux te rejettent toujours. » C'est ce que je pensais de moi. Ces femmes ne me rejetaient pas. Assez bizarrement, elles étaient d'accord avec ce que je pensais de moi. C'en est arrivé au point où une d'elles a dit « non », et je n'ai eu aucune réaction dans mon corps — je veux dire, rien de négatif. J'ai souri et l'ai remerciée, et c'était vraiment mon intention. Je pouvais voir et ressentir la perfection absolue de ce « non ».

♥ **La peur du succès est beaucoup plus grande que la peur de l'échec.**

Quand elles disaient « oui », une nouvelle sorte de terreur m'empoignait — la peur de recevoir pour de bon ce que j'avais toujours soigneusement gardé en dehors de ma vie. J'ai appris que la peur de l'échec, toute horrible qu'elle soit, est en fait plus sécuritaire que la peur du succès. Sans doute sommes-nous habitués à l'échec, au sacrifice, et aux compromis. Ce sont des situations qui nous sont familières. Nous savons que nous pouvons y survivre. Par contre, le succès est un terrain inconnu, un territoire inexploré. Je me souviens de la première fois de ma vie où j'ai reçu une grosse somme d'argent. Quelqu'un me tendait le chèque, et ma main était moite, tout mon corps tremblait et mon cœur battait comme si j'avais été en danger de mort. Je pensais « Est-ce que je peux vraiment avoir ça ? Est-ce que cela ne va pas m'attirer quelque horrible punition ? Est-ce que je le mérite ? Qu'est-ce que mes parents vont penser ? » Tandis que je tenais le chèque et que je pleurais, je me suis rappelé ma mère me disant qu'elle ne vivait que pour me voir réussir. Je me demandais : « Est-ce qu'elle va mourir maintenant ? Oh, mon Dieu, est-ce que je vais pouvoir supporter ce qui m'arrive ? » L'idée du suicide m'a traversé l'esprit.

Le succès est le plus grand défi de votre forte envie de la vie.

Les gens réagissent en face de nous de la façon dont nous réagissons face à nous-même. Regardons cela de plus près : nous sommes souvent plus à l'aise avec le rejet qu'avec l'acceptation. C'est une situation qui nous est plus familière, un vieil ami sur lequel on peut compter. Être accepté, c'est recevoir plus d'énergie d'amour que nous n'en avons l'habitude. On peut ne plus savoir où se mettre, on peut tiquer. L'impression d'être submergé, de nous enfoncer dans les sables mouvants peut nous traverser très vite l'esprit.

La leçon de l'amour qui n'est pas « payé de retour » est précieuse une fois que vous l'avez apprise. Si vous tombez amoureux d'une personne qui ne partage pas vos sentiments, c'est pour vous l'occasion d'apprendre à donner l'amour gratuitement, sans attendre rien en retour. Aimer une personne sans que cela engage à rien, c'est aimer inconditionnellement. Quand quelqu'un semble vous rejeter, vous pouvez vous libérer du besoin, de la dépendance, et de la solitude qui, pour vous, sont encore associés à l'amour.

Le rejet est une occasion de vous aimer plus totalement.

Chaque rejet vous aide à vous accepter vous-même plus totalement.

Par contre, quand quelqu'un tombe amoureux de vous et que vous n'avez pas les mêmes sentiments, c'est pour vous une possibilité de recevoir de l'amour sans vous sentir redevable. Vous pouvez dire exactement à cette personne ce que vous ressentez, lui permettre de ressentir ses propres sentiments, et relaxer. L'amour ne doit pas toujours signifier quelque chose de grande portée.

L'amour ne vous met pas en dette envers quelqu'un. Recevoir librement l'amour de quelqu'un donne au donneur le plaisir de savoir que son amour a de la valeur et a atteint sa cible.

Dire « oui » quand c'est vraiment « oui » que vous voulez dire, et « non » quand c'est « non » amène une joie plus grande dans votre cœur et la clarté dans vos relations.

Maîtriser cet aspect qui fait que l'on donne quand on reçoit et que l'on reçoit quand on donne ramène l'intégrité dans votre cœur, et le besoin de marquer des points dans vos relations est vaincu.

L'amour de soi est une expression redondante parce que, en un certain sens, le soi est amour. L'amour de soi est tout simplement l'expérience de soi sans rien pour barrer la route.

Si vous faisiez l'expérience de vous-même sans porter de jugements d'aucune sorte, sans réserves ou sans préoccupations, vous vous aimeriez tout naturellement. Si vous arrêtiez de vous comparer aux autres et si vous faisiez l'expérience de ce que vous êtes, vous vous aimeriez tout naturellement. Si vous arrêtiez d'essayer de faire plaisir aux autres dans l'espoir que leur acceptation de vous vous fasse vous sentir bien en dedans de vous, vous vous aimeriez tout naturellement.

Il est parfaitement naturel de s'aimer soi-même.

L'amour de soi n'est pas de l'égotisme. Un égotiste se déteste mais agit comme s'il était un cadeau que Dieu a offert à l'univers. Un égotiste est un fumiste. Il fait de l'esbroufe, il fanfaronne, et il prétend être ce qu'il a peur de ne pas être. Comme aucun effort, si gros soit-il, ne peut surmonter la répugnance fondamentale que l'on peut avoir de soi, l'égotisme est une manifestation de futilité. Un égotiste pense : « Si seulement je pouvais être assez rusé pour amener les autres à m'aimer, peut-être alors que j'aurais un moment de répit dans cette haine que j'ai de moi. » Malheureusement, le renforcement positif n'a aucune signification quand vous avez fait une croix sur vous-même.

Étant donné que les gens sont enclins à confirmer les opinions que vous avez de vous-même, si vous allez et venez en pensant : « Je n'vaux pas grand-chose, je n'vaux pas grand-chose, je n'vaux pas grand-chose », vous allez automatiquement attirer des amis, des collègues, des patrons et des amoureux qui vont vous rabaisser. Si votre propre évaluation de vous-même est : « Je n'vaux pas grand-chose », si c'est une loi primale qui vous gouverne, quand quelqu'un vous dit que vous ne valez pas grand-chose, vous allez jubiler secrètement (même si vous faites la tête). Vous aurez l'impression étrange d'avoir raison. Vous saurez que vous avez toujours eu raison. Le pire de vos soupçons au sujet de vous-même sera confirmé, et une partie de vous sera soulagée. Par contre, si des gens viennent vous dire que vous êtes le meilleur, ce sera un jour de grandes manœuvres pour votre pattern d'invalidation. Vous vous direz : « C'est des conneries ! Ou bien ils mentent pour que je me sente mieux, ou alors ils ne sont pas si bien que ça eux-mêmes. En tous cas ils ne sont pas très perspicaces. » Si votre esprit acceptait leur déclaration, il vous faudrait admettre que vous avez tort. Et vous savez bien que vous avez raison ! Vous ne valez pas grand-chose. Votre vie entière est la preuve vivante de votre absence totale de valeur.

Mais si vous vous appréciez vous-même, vous attirerez d'autres personnes qui sont du même avis que vous. Deux personnes ne peuvent commencer à s'aimer mutuellement que quand chacune d'elles s'aime elle-même inconditionnellement.

Plus vous vous aimez vous-même, plus vous avez d'amour à partager avec les autres !

Je donne des séminaires de prospérité, et je demande toujours à mes étudiants : « Quelle valeur avez-vous à vos propres yeux ? » Certains sont abasourdis par une telle question. C'est une façon tellement catégorique de relier l'amour et l'argent, les deux domaines dans lesquels beaucoup d'entre nous ressentent un manque ! Quelle valeur avez-vous à vos propres yeux ? Comment est-ce que le travail que vous faites ou l'article que vous vendez peut avoir une valeur quelconque si vous, le travailleur, ne vous donnez aucune valeur à vous-même ?

Beaucoup d'entre nous ont été élevés avec l'idée que c'est mieux d'être altruiste que d'être égoïste, mieux d'être effacé que d'être autoritaire. Bien qu'elle soit souvent d'une grande valeur en tant que discipline de purification, la négation de soi peut devenir dangereuse si elle tourne en une obsession basée sur la pensée qu'il y a quelque chose qui ne va pas bien en vous.

La dépossession de soi basée sur la culpabilité est une punition, même si elle est déguisée avec grand art.

En vérité, tous les services rendus commencent par le soi et tous les services rendus servent le soi. Si vous avez une passion pour aider le genre humain, vous serez efficace dans la limite où vous sentez que vous avez quelque chose de valable à offrir à la planète. Ce n'est que quand nous nourrissons notre moi que nous pouvons être utiles aux autres — et rien n'est plus nourrissant que l'amour inconditionnel. Le service rendu qui est basé sur une haute estime de soi apporte une double récompense, car il contribue au bien-être des autres et, en même temps, il fait le plein de ce réservoir d'amour qui est en vous. Si vous vous privez d'amour vous-même, vous allez descendre dans les profondeurs du martyre, vous allez donner et vous sacrifier jusqu'à ce qu'il ne reste plus rien à donner. C'est vraiment très épuisant !

Soyez clair au sujet de ce que vous voulez vraiment dans votre vie. Beaucoup de gens se plaignent de ne pas obtenir ce qu'ils veulent, mais si vous leur demandez ce qu'ils veulent, ils répondent : « Je ne sais pas. » Ne pas définir vos buts est une façon très claire d'inviter votre subconscient à se manifester à volonté. Une grande part de ce que nous appelons « laisser les choses se faire » est une excuse pour ne pas prendre la responsabilité de demander ce que nous voulons.

Si vous prenez la responsabilité de la création de votre vie et si vous vous débarrassez de vos attitudes négatives, vous exprimerez ce que vous voulez vraiment dans la vie.

Il est important de dire « non » aux choses et aux individus que vous ne voulez pas dans votre vie. Il y en a tellement parmi nous qui ont l'habitude de faire des compromis ! Nous ne cessons de dire « oui » à ce que nous ne voulons pas, et ensuite nous nous demandons pourquoi les choses ne vont pas comme nous le voudrions. Vous prenez un emploi que vous ne voulez pas vraiment en vous disant que rien de mieux ne se présentera, ou bien vous vous engagez dans une relation dont vous savez bien qu'elle n'est pas ce que vous désirez, mais vous vous dites que c'est mieux que rien et vous vous retrouvez des années plus tard, coincé dans des compromis, plein de regrets et d'amertume.

♥ **Dire « non » à ce que vous ne voulez pas fait de la place pour recevoir ce que vous voulez réellement.**

Les gens créent souvent la jalousie parce qu'ils n'ont pas assez d'estime d'eux-mêmes pour demander ce qu'ils veulent vraiment. Peut-être que vous acceptez une relation sexuelle ouverte pour la simple raison que vous avez peur de perdre complètement votre partenaire si vous refusez. Vous pensez : « Je préfère ne l'avoir qu'à moitié plutôt que d'être seul ! » Si vous saviez que vous méritez le dévouement exclusif de quelqu'un, vous ne penseriez jamais de cette façon. Aimer votre partenaire plus que vous ne vous aimez vous-même est un vrai assassinat du cœur.

Ainsi donc, vous créez le chagrin appelé « jalousie » de façon à apprendre votre leçon fondamentale d'estime de vous : vous méritez tout l'amour que vous désirez !

Être jaloux, c'est regarder quelqu'un donner son attention à quelqu'un d'autre que vous, ou à quelque chose, alors que vous pensez que vous avez besoin de cette attention.

C'est aussi une façon socialement acceptable de ressentir plein de sensations primales qui ne remontent généralement pas à la surface. En tant que telle, la jalousie est une occasion puissante de guérison. (Il y a des régions où un crime passionnel est même pardonnable.)

À la base de la jalousie, il y a deux pensées primaires : « La source d'amour est en dehors de moi », et « L'amour est une denrée rare ».

Si la source d'amour est votre compagnon et que vous trouvez qu'il n'y en a déjà pas tellement, le fait de voir votre compagnon aimer quelqu'un d'autre, même innocemment, peut vous jeter dans une panique primale — une crise de « la vie ou la mort » dans laquelle vous revivez l'anxiété de la séparation au cours de laquelle le cordon ombilical a été coupé.

La jalousie contient toutes les émotions. Elle vous coupe complètement du moment présent et vous emmène dans le royaume trouble de l'obscurité, des souvenirs subliminaux et des fantasmes de la peur future. La jalousie constitue, en termes d'émotions, les meilleures montagnes russes en ville !

Il y a des choses que vous pouvez faire quand vous êtes assailli par une crise de jalousie. D'abord, ne pas vous critiquer pour cela. Les gens sont tellement gênés de leur jalousie qu'ils mentent souvent à son sujet et s'en servent pour diminuer leur estime de soi au lieu de l'augmenter. Laissez votre jalousie avoir lieu ! Travaillez avec les implants d'estime de soi qui sont à la fin de ce chapitre. Re-naissez.

Si vous avez été d'accord pour laisser votre partenaire être avec quelqu'un d'autre ou avec quelque chose d'autre (et vous pouvez être jaloux de son travail, de ses parties de cartes ou de ses parties de golf), ne boudez pas et ne vous prenez pas en pitié. Rappelez-vous : vous êtes la source d'amour et vous avez le pouvoir de créer d'autres formes de plaisirs et d'amour dans votre vie. Si votre rage vous monte à la gorge, bourrez vos oreillers de coups, balancez des bouteilles contre le mur, trouvez un substitut de « blâme créatif ». Si vous devez pleurer, pleurez !

Jetez aussi un sérieux coup d'œil à la partie de votre esprit qui a créé la situation — de façon à ne pas avoir à la reproduire. Est-ce un pattern de rivalité fraternelle qui remonte à l'enfance, parce que vous et votre sœur rivalisiez pour obtenir l'attention exclusive de votre père ? Êtes-vous en train de mimer votre peur de la perte de façon à libérer la douleur du divorce de vos parents ? Ou peut-être est-ce votre dépendance aux situations triangulaires, et c'est un signe très clair des sentiments incestueux que vous avez supprimés ou non résolus.

Par incestueux je fais allusion à la partie de vous qui pense que vous devez vous interposer entre les gens de façon à obtenir l'amour que vous désirez. Souvent dans l'enfance, et même dans l'utérus, nos parents vivent une séparation dans leur relation alors que nous sommes présents. Ceci est le résultat de leurs propres pensées, bien sûr, mais par amour pour eux vous pouvez fort bien en avoir pris la culpabilité. Comme la culpabilité vous fait reproduire ce dont vous êtes coupable — et ce, jusqu'à ce que vous en veniez à bout —, il se pourrait bien que vous repoussiez subconsciemment votre compagnon parce que vous ne pensez pas mériter d'être plus proche de lui que vos parents ne l'étaient l'un de l'autre. Il se peut que vous pensiez : « Mon amour provoque la séparation, donc je ne mérite pas l'amour ! »

Il est difficile de se lier totalement à un compagnon si vous dépendez encore de la culpabilité triangulaire. Plus vous devenez intime avec quelqu'un, plus vous souhaitez secrètement saboter la relation.

Je me souviens des fois où ma partenaire était jalouse et où je refusais d'en prendre la responsabilité. Je pensais « C'est son problème, son insécurité, son bas niveau d'estime d'elle-même. » C'était à un moment de ma vie où je prenais seulement cinquante pour cent de la responsabilité dans mes relations et non cent pour cent. Mais comme ces situations de jalousie continuaient à se présenter, j'ai dû admettre — même si mon ego n'aimait pas du tout cela — qu'il y avait en moi un facteur dont je n'avais pas conscience qui contribuait à créer ces crises. J'ai procédé à une autointerrogation : « La raison pour laquelle je veux que ma partenaire soit jalouse est... », et j'ai été grandement surpris de ce que j'ai découvert. Dans mon esprit, une femme ne m'aimait pas complètement si elle n'était pas possessive et jalouse. Je me suis souvenu de ma mère qui, quand j'étais adolescent, lisait mes lettres d'amour et écoutait indiscrètement mes conversations téléphoniques. À mes yeux, une femme devait agir comme ma mère si elle m'aimait vraiment. Le simple fait de prendre conscience de ce pattern a fait énormément pour clarifier et même éliminer presque toute jalousie de ma vie.

Cela n'a pas d'importance que ce soit vous ou votre compagnon qui soit jaloux. Vous avez tous les deux fait la mise en scène.

Quand votre partenaire est jaloux, cela peut être pour vous un rappel puissant de vos priorités. Peut-être que votre navire fait fausse route. Peut-être que vous êtes en plein dans un pattern de départ, de revanche, ou d'inceste. La jalousie de votre partenaire peut être la secousse dont vous avez besoin pour passer d'un comportement inconscient à un choix conscient.

♡ ***La jalousie est une occasion extraordinaire (même si c'est fou) pour que les deux partenaires rehaussent leur estime de soi et deviennent très clairs au sujet de ce qu'ils veulent.***

Vous méritez la pleine attention de votre partenaire. Si votre partenaire ne veut pas vous donner ce que vous voulez, il se peut alors que vous ayez à choisir entre votre dépendance à un pattern douloureux et la relation que vous voulez vraiment. Rappelez-vous : rien de ce que vous perdez n'est essentiel pour le meilleur de vous.

Plus votre estime de vous est élevée, plus vous avez le pouvoir de choisir ce qui va servir le meilleur de vous !

Si vous vous sentez seul, ou plein de vide, le fait de vous cramponner à une personne qui vous aime ne va pas faire disparaître ces sensations, bien que vous puissiez y trouver un réconfort temporaire. La façon de sortir de la solitude est d'en sortir de vous-même — seul. Il n'y a que vous qui puissiez couper les cordons, enterrer le passé, et réclamer votre pouvoir personnel. Il n'y a que vous qui puissiez dire adieu !

Quand le fait d'être seul devient plus un cadeau qu'une torture, vous savez que vous n'avez besoin de personne pour vous rendre heureux. Et alors vous pouvez choisir des relations qui réfléchissent automatiquement l'amour que vous avez trouvé en vous-même.

Vous vous méritez ! Commencez à vous dire : « Je suis maintenant la personne à laquelle j'ai toujours voulu ressembler ! »

Implants pour relever votre estime de vous

Peu importe, je m'aime.

Je m'aime en présence des autres.

Ma présence fait tout naturellement plaisir à moi-même et aux autres.

Je suis maintenant la personne à laquelle j'ai toujours voulu ressembler.

J'approuve ma vie !

J'aime ma vie !

Je mérite tout ce qu'il y a de mieux dans la vie !

Je m'aime car je demande ce que je veux, sans me soucier de la réponse.

Je m'aime quand les gens me disent « non ».

Il n'y a aucun danger à surpasser mes parents.

Je peux surpasser mes parents et ne pas perdre leur amour.

La vérité est que mes parents veulent aussi que le meilleur m'arrive.

Je veux réussir, même si cela signifie faire plaisir à mes parents.

Je me pardonne d'avoir échoué pour donner tort à mes parents.

Il n'y a aucun danger à me surpasser moi-même !

Les gens souhaitent que j'obtienne ce que je désire.

Plus j'ai ce que je veux, plus les autres ont ce qu'ils veulent.

J'ai le pouvoir de réussir.

Ce n'est pas parce que j'ai mal utilisé mon pouvoir dans le passé que je ne peux pas l'utiliser maintenant !

Je me fais confiance !

Je fais confiance à mon intuition.

Je suis quelqu'un de bien ; je mérite la belle vie !

Chapitre 10

Fini, le cache-cache avec Dieu

Il fut un temps où j'étais athée et fier de l'être. Puis j'ai été agnostique, parce que c'était encore plus spécial. J'étais un rebelle, rejetant toute mon éducation religieuse. On utilise Dieu pour justifier tant de points de vue contradictoires que j'avais décidé que si Dieu existait vraiment, Il devait être, au mieux, un type plutôt falot, et au pire, un parfait hypocrite. Je remarquais que les gens utilisent le concept de Dieu pour justifier leurs notions personnelles de vrai et de faux, de bien et de mal, et je me demandais si Dieu existait un tant soit peu en dehors des religions. Finalement, je me suis dit que si Dieu existait vraiment, Il avait l'air de manifester Sa présence en tant qu'absence. Dieu aimait jouer à cache-cache. N'avait-Il rien de mieux à faire ?

Plus j'en venais à connaître la vie, moins j'avais l'impression de la comprendre. Mes expériences intenses — qui augmentaient petit à petit en quantité et en qualité — ne rentraient pas dans les petites cases bien nettes de mon esprit aristotélicien. De temps en temps mon esprit se tournait à nouveau vers Dieu, mais les images des guerres de religions, de l'Inquisition espagnole, et des procès de la sorcière de Salem me dérangeaient. Je pensais au film *Les Dix Commandements,* et Dieu me semblait très dur et exigeant, autant que l'alpinisme.

Et alors j'ai eu une série d'expériences qui m'ont ouvert à un Dieu que je n'avais jamais connu, et j'en suis venu à réaliser que ce n'était pas Dieu qui s'était caché, c'était moi. Une de ces expériences s'est produite au milieu de la Vallée de la Mort, la première fois que j'ai voyagé en dehors de New York. J'étais tellement ébahi par l'espace fantastique qui m'entourait que tout ce que j'ai été capable de faire a été de m'allonger sur le sol du désert, pris en sandwich entre la terre et le firmament, respirant sans aucun contrôle. J'ai littéralement oublié qui j'étais ; j'ai commencé à avoir l'impression que tout cet espace en dehors de moi était en fait en dedans de moi. J'étais sûr que quelqu'un m'avait retourné comme un gant.

Une autre fois, j'étais en travail de *rebirth* quand j'ai tout à coup entendu une voix m'appeler : « Je suis ici ! » Cela aurait pu être mon *rebirther,* ou cela aurait pu être mon voisin, mais je savais que c'était Dieu !

Qu'est-ce que Dieu ? Est-Il la force, la source, la nature, un vieillard barbu assis sur un trône dans le ciel, une femme, un quelconque parrain cosmique, ou l'opium du peuple ? Qui est cet être masqué ?

Dieu est à mon avis le plus personnel de tous les concepts, et je ne me permettrais pas de vous imposer ma notion de Dieu. Mais ce que je sais pertinemment, c'est que le fait d'ouvrir votre cœur au Dieu de votre imagination peut ouvrir la porte à tout. Alors, je voudrais partager avec vous le Dieu que j'en suis venu à connaître.

J'ai lu récemment un magazine scientifique qui décrivait une conférence des plus grands leaders religieux et scientifiques. Leur but était de définir un Dieu pour le XXIe siècle ; ce Dieu serait fondé sur le bon sens, l'humanité, et la probabilité scientifique. Après avoir pas mal débattu de la question, ils ont conclu que Dieu était « univers » : un principe d'énergie unifiante qui est au travail toujours et partout.

Pour moi, Dieu est cette notion qui fait que tout est logique, cette justice sous toute l'injustice apparente, cette force qui fait avancer l'univers dans un but très précis. Dieu est l'infini, la partie de nous qui transcende la notion limitée que nous avons à propos de qui nous sommes, le soi-esprit auquel nous pouvons nous abandonner, faisant ainsi l'expérience d'une connexion spirituelle parfaite et d'une corrélation entre notre vie interne et la réalité externe. Dieu est la connaissance intuitive que nous sommes un, que tout dans la création est comme les cellules d'un organisme travaillant à la fois séparément et en même temps. En Dieu, nous sommes une chaîne de forçats divine.

Dieu, c'est les étoiles et l'espace qu'il y a entre elles.

Dieu, c'est à la fois chacun et chaque chose, et personne ni rien. Dieu est invisible et Il est toujours bien en vue. Dieu est la création et la destruction, la guerre et la paix, les étoiles et l'espace qu'il y a entre elles, les États-Unis et l'Union soviétique, le beurre d'arachides et la gelée. Dieu est le mystère de la science et la science du mystère.

Et comme Dieu est l'inconnu, plus vous savez que vous ne savez pas, plus vous êtes proche de Dieu.

Et comme Dieu est l'infini, dans la mesure où vous vous sentez séparé de Dieu, vous avez tendance à vous sentir sans ressources, impuissant, et limité. Ouvrir votre cœur vous met en contact avec une présence bien plus grande que vous !

Si ce n'est pas Dieu, qui est-ce ?

Tout ce qu'il y a à dire à propos de Dieu a déjà été dit plein de fois, et pourtant la vérité au sujet de Dieu reste indicible.

Dans la plupart des relations, les gens restent bloqués dans les cellules de leur ego, comme le montre le diagramme. Mais quand ils sont attirés ensemble, ils sentent l'amour qui existe entre eux (amour qui veut connaître l'union), et ils sentent qu'ils sont dépendants de leur esprit qui veut la séparation.

L'ego ne peut pas abdiquer. La véritable prémisse de son existence, c'est la séparation, et l'amour est pour lui la plus grande des menaces. Alors, plus vous êtes proche de quelqu'un, plus votre cœur dit : « Lâche prise », et plus votre esprit dit : « Accroche-toi si tu tiens à la vie ».

Opération-déviation n° 17

Voyez clair dans toutes vos pensées au sujet de Dieu. Écrivez en haut d'une feuille : « Dieu... », et transcrivez toutes les associations d'idées qui vous viennent. Sur une autre feuille, écrivez : « Mon père est... », et remplissez la page. Faites la même chose pour votre mère sur une troisième feuille. Remarquez combien de vos pensées au sujet de Dieu sont des extensions de vos pensées au sujet de vos parents, qui étaient les autorités prédominantes du temps de votre enfance. Parmi toutes les pensées au sujet de Dieu, encerclez celles que vous voulez garder, ajoutez-en d'autres, et barrez le reste.

C'est pour cette raison que dans beaucoup de relations les gens commencent à batailler quand ils deviennent intimes. Le conflit résulte en fait de l'amour qui veut vous faire traverser le mur de la séparation que l'ego a construit. Mais quel que soit le nombre de batailles, une pensée de séparation ne peut pas être vaincue. Elle doit être libérée.

L'union que l'amour désire résulte d'un bond de foi.

Quand votre désir de vous abandonner est plus fort que votre peur de la perte, alors vous connaissez Dieu. Alors, vous et votre partenaire pouvez vous rencontrer en Dieu et former un triangle sacré : une relation qui cherche à partager son expérience d'amour sans séparation. Imaginez un peu, si le monde entier pouvait vaincre la séparation et s'unir dans un but plus élevé, un but sacré ! Nous serions une planète de chevaliers Jédi.

Parfois, quand les gens deviennent éclairés, ils sont intoxiqués par le pouvoir de leur propre esprit. Ils sont séduits par le concept d'être la source, le générateur de toute leur existence.

Ne vous y trompez pas : ceci est le jeu de séduction de l'ego qui veut que vous pensiez que votre esprit est Dieu et que votre esprit n'existe pas. L'ego est le petit frère de Dieu ; il est jaloux de Lui, il veut être Dieu. Il veut contrôler, manipuler, et jouer aux échecs avec l'univers.

Mais, hélas, tout ce que l'ego peut créer est illusion : l'illusion du pouvoir, l'illusion de l'amour, l'illusion du bonheur. L'ego ne peut créer que ce qui n'est pas. Dieu a déjà créé tout ce qui est !

C'est facile de dire si vous vous retrouvez piégé dans votre ego : votre ego essaie de vous convaincre que vous êtes à un niveau spirituel plus élevé que les autres, qu'il n'y a que vous seul qui connaissiez le vrai Dieu, que vous êtes bien au-dessus de tout l'univers concret.

L'univers concret n'est pas plus ou pas moins Dieu que le reste, car un des aspects principaux de Dieu est qu'Il ne peut pas Se séparer de Lui-même.

Dieu ne connaît pas la séparation. Il est inséparable de Sa création !

(Il est probable que, à la naissance, quand le cordon est coupé et que nous sommes « coupés » de notre mère, nous décidons que nous sommes séparés. La douleur de notre première délivrance, notre culpabilité de nouveau-né et notre loi primale font en quelque sorte que nous en concluons que Dieu nous a chassés de son royaume. Vue sous cet angle, chaque naissance répète l'histoire du paradis terrestre : quitter l'utérus devient une punition pour quelque crime abominable et inconnu que nous avons commis. Et le traumatisme de notre première délivrance transforme la délivrance spirituelle en une proposition qui effraie beaucoup d'entre nous.)

Dans la mesure où vous êtes connecté avec Dieu, vous savez que tout ce qui est en dehors de vous est aussi en dedans de vous, et vous vivez cette connexion. L'univers physique est très clairement le miroir de votre évolution spirituelle.

Une des clefs pour aller vers Dieu est de voir chaque être comme Dieu, que cet être soit conforme ou non à l'idée que vous vous faites de Dieu.

J'ai longtemps pensé que les gens qui priaient étaient comme les enfants qui, tous les ans, allaient chez Macy en décembre, s'assoyaient sur les genoux du Père Noël, et lui disaient ce qu'ils voulaient pour Noël. Tout cela était très bien, mais au bout du compte, maman et papa devaient passer à la caisse et payer pour le tout.

Puis j'ai entendu dire : « Aide-toi, et le ciel t'aidera », et j'ai trouvé que cela tenait debout. Dieu fait bien évidemment partie d'un bureau d'autoperfectionnement.

Maintenant, je comprends parfaitement la signification de la prière. Prier, c'est simplement implanter des pensées de toute première qualité dans votre subconscient et croire profondément que votre pensée est une loi dans l'univers de Dieu.

Comme Emily Dickinson le dit :

Un mot
est mort
quand il
est dit,
dit-on.
Moi je dis :
c'est
à partir de là
qu'il vit.

Vos prières sont les paroles vivantes de Dieu dans l'univers. Vous ne voulez pas prier une quelconque divinité « quelque part là-haut », qui peut vous entendre ou ne pas vous entendre. Vous priez le Dieu qui est en vous, vous priez votre moi-esprit.

Chaque fois que vous créez, vous créez en association avec Dieu. Après tout, vous êtes créé à l'image de Dieu, vous êtes le Créateur !

Toute forme de création est un acte sacré.

Apprenez à écouter votre Dieu. Fermez les yeux, prenez une grande respiration, et lâchez prise. Demandez à Dieu s'Il est là. Écoutez votre cœur, et non votre esprit. Même si votre esprit proteste : « Qui es-tu pour parler à Dieu ? », ou « Es-tu devenu cinglé ? », continuez.

Entendre Dieu, c'est entendre la voix de votre intuition. Vous pouvez très bien commencer à parler à Dieu sans vous dire que vous êtes fou. La peur de la folie est généralement fondée à la fois sur la peur de s'abandonner et sur la peur de la désapprobation. Votre estime de vous est maintenant assez élevée pour laisser Dieu entrer à nouveau dans votre vie, peu importe ce que le premier venu en pense.

Opération-déviation n° 18

Chaque soir, avant d'aller vous coucher, prenez une feuille et faites une liste de « Ce pour quoi je suis reconnaissant, ce que je me pardonne, et ce pour quoi je prie. » Si vous faites cela régulièrement, vous remarquerez assez vite que vos prières deviennent des remerciements.

Dieu est votre privilège personnel !

Quand vous avez un problème, il n'y a aucun mal à demander à Dieu de corriger vos perceptions erronées de la situation. Vous pouvez Lui livrer les situations impossibles. Pour Dieu, l'impossible est chose courante.

Beaucoup de gens ratent complètement Dieu parce qu'ils cherchent des signes extraordinaires, ou des miracles. La vérité est que Dieu fait toujours des miracles pour vous, mais ils sont tellement ordinaires que vous les prenez comme allant de soi. Un oiseau, une fleur, un océan, un enfant — est-ce qu'il n'y a pas assez de miracles pour témoigner de la présence de Dieu ?

Plus vous avez bien en main ce qui va bien dans votre vie, plus Dieu tient le reste en main. Cela ne veut pas dire que vous devriez vous installer bien à l'aise, parler à Dieu pour ne vraiment rien dire, et attendre que des miracles se produisent. Vous disposez de votre libre arbitre. Vos choix ont des répercussions sur le monde réel. Mais plus vous êtes en contact avec les dons et talents particuliers qui sont les vôtres et plus vous êtes prêt à les partager, plus vous contribuez à l'évolution de la qualité de vie sur la planète. C'est ainsi qu'il en est fait selon la volonté de Dieu !

Les gens pensent parfois — avec erreur — que s'abandonner à l'unité signifie perdre son identité individuelle. Ce n'est pas exact. S'abandonner à Dieu, c'est tirer de votre créativité individuelle beaucoup plus que votre ego ne pourra jamais vous donner.

Il arrive souvent que nous en voulions secrètement à Dieu de nous avoir donné le libre arbitre. Bien que notre liberté nous soit précieuse, il nous semble parfois que la vie serait plus facile si quelque père bienveillant menait la barque. S'il y avait un Dieu — pense-t-on dans ces cas-là —, Il s'assurerait que nous fassions toujours le bon choix.

La liberté est l'expérience du choix.

Eh bien, vous avez tout simplement à pardonner à Dieu de vous donner la liberté qui a probablement pour vous autant d'importance que la vie elle-même.

Plus vous aimez votre vie, plus vous en venez à apprécier l'incroyable travail que Dieu a fait. Et plus vous vivez votre vie dans le royaume des pensées, paroles, et actions d'amour, plus vous commencez à voir les possibilités d'un paradis sur terre.

Cessez de jouer à cache-cache avec Dieu.

Très certainement, Dieu mérite pour le moins que vous lui accordiez une seconde chance !

Implants à propos de Dieu

Dieu m'a déjà pardonné.

Le plan divin de ma vie est en train de se manifester maintenant.

Je fais maintenant confiance à Dieu.

Étant donné que Dieu est l'inconnu, plus je sais que je ne sais pas et plus je suis proche de Dieu.

Je suis maintenant prêt à ce que Dieu rectifie toutes mes perceptions erronées.

Je pardonne à Dieu de m'avoir gratifié du libre arbitre quand Il m'a créé.

Plus j'ai bien en main ce qui va bien dans ma vie, plus Dieu s'occupe du reste.

J'existe : Dieu merci !

Dieu est mon fidèle compagnon.

Dieu est maintenant avec moi !

Peu importe ce que je pense ou ressens, Dieu est avec moi !

Même si je ne sens pas la présence de Dieu, Dieu est avec moi !

C'est O.K. de parler à Dieu !

Dieu me donne la permission d'être moi-même.

Ma connexion avec Dieu est maintenant assez forte pour que j'accomplisse ce que je veux dans la vie.

Que Sa volonté soit faite !

Que Dieu bénisse la planète Terre !

Chapitre 11

La clef maîtresse

Je me souviens d'être allé à Montréal il y a quelques années. Sondra Ray était avec moi (Sondra est la fondatrice du Programme des relations d'amour), et nous allions à Montréal y offrir notre programme pour la première fois. À peine étions-nous arrivés qu'un journal local a attiré notre attention. Une manchette disait en toute première page : « Les 106 premières années sont de la blague ! » Ce qui suivait était l'histoire d'un homme remarquable.

Étant des immortalistes, Sondra et moi avons décidé de rendre visite à cet être ancien. Nous sommes arrivés à une maison de retraite, où notre « ami » était en observation. Nous nous attendions plus ou moins à trouver une carcasse d'homme plutôt ratatinée, mais ce que nous avons vu n'était rien d'autre qu'un homme tout en cœur !

C'était un homme minuscule, débordant de vie, d'une vie effrénée. Ses yeux pétillaient et ses oreilles étaient longues et pointues, comme celles de Spock. Sa présence dans une maison de retraite nous dépassait complètement, Sondra, moi, et lui aussi d'ailleurs. Il était prêt à piquer un sprint autour du pâté de maisons ! Les docteurs voulaient cependant l'examiner le jour de son anniversaire parce qu'ils se disaient que si cet homme était aussi vieux que cela, il y avait sûrement quelque chose qui n'allait pas bien en lui ! Mais pas du tout. Il était dans une superforme.

Sa fille de soixante-dix-sept ans s'est assise près de lui. Elle avait une mine affreuse, elle avait l'air d'être prête pour son lit de mort. Nous lui avons demandé quel était son problème, et elle nous a dit qu'elle était exténuée de maintenir la cadence avec son père. Dans son esprit, la vivacité de son père la tuait.

Puis nous avons tourné notre attention vers cette petite dynamo âgée. Quel était le secret de sa longévité ? S'était-il baigné dans la fontaine de Jouvence ? Était-il un vrai étranger venu d'une planète d'immortalistes ? Mon esprit faisait des heures supplémentaires à essayer de comprendre cet individu.

Il a commencé à nous décrire son enfance dans une petite ville de Lettonie : il nous a dit comment les étrangers étaient les bienvenus dans toutes les maisons, comment les mendiants étaient même invités à prendre de bons repas. Le sentiment de la famille qui animait cet homme était bouleversant. Les larmes lui coulaient sur le visage tandis qu'il parlait.

Il nous a dit son amour pour le Canada. Sa passion pour les gens explosait dans sa voix puissante et dans son poing qu'il serrait pour accentuer ses sentiments. J'étais presque envieux de la quantité de vie contenue dans son petit corps.

Il était en quelque sorte un révolutionnaire, mais bien au-dessus de la politique. C'était là un homme amoureux de la vie, des êtres humains, de la famille. C'était là un homme dont le cœur était tellement ouvert qu'il semblait englober la planète tout entière. Cet homme et sa fille étaient la preuve vivante que la jeunesse est fonction de l'esprit, que le corps vieillit seulement quand l'esprit et le cœur perdent confiance.

Cet homme était une exception évidente à la règle qui dit que la plupart des gens meurent selon la tradition familiale, habituellement dans les cinq ans qui suivent la mort du membre de la famille auquel ils s'identifiaient le plus. Ce n'est pas un secret, c'est de notoriété publique. Il y a également beaucoup de gens qui meurent peu de temps après avoir pris leur retraite, quand ils sentent qu'ils ont rempli leur but dans la vie, ou quand leurs enfants sont mariés, ont des enfants et ont réussi. Quand la pensée spécifique pour laquelle ils vivaient a pris corps, ils n'ont plus de raison de vivre. Les compagnies d'assurances font des milliards de dollars en prédisant avec justesse quand les gens vont mourir.

Quelle impression ça vous fait de savoir que votre mort est un pari sûr ?

La pensée que la mort est inévitable est simplement une pensée, si populaire soit-elle et malgré tout le contenu collectif qui est derrière elle. Que la pensée soit vraie ou non, vous désirez peut-être examiner les ramifications pratiques qui se présentent à qui embrasse une philosophie mortaliste : le désespoir, la dépression, la pénurie, la maladie, et la panique que la mort évoque. La croyance en la mort, jointe à votre loi primale, forme l'étau dans lequel votre ego tient votre vie. La mort est pour l'ego ce que la vie est pour Dieu : tant que vous êtes attaché à la mort, il est impossible que vous fassiez ce bond de foi dans la vie spirituelle. C'est pourquoi tout bond de ce genre peut être décrit comme une expérience de vie-mort. Quand vous vous abandonnez à Dieu, votre ego meurt, faisant ainsi la preuve de la qualité illusoire de la mort.

Malheureusement, quand vous retombez dans le doute, votre ego ressuscite avec une nouvelle provision d'astuces.

La pensée de la mort est, en fin de compte, la pensée que vous êtes séparé de Dieu, qu'en fait vous êtes coupable, et que votre punition est une sentence de vie. C'est la croyance que vous avez été chassé de l'Éden à cause de vos péchés et que, en conséquence, vous devez souffrir en passant par le cycle naissance/mort.

La croyance en un Dieu meurtrier, c'est l'ego qui rit bien le dernier, et cette croyance est très bien résumée dans cette citation élisabéthaine : « Nous sommes pour les dieux comme des mouches pour les enfants capricieux ; leur divertissement est de nous tuer ! » Ce que c'est absurde !

Chaque système spirituel de croyances doit faire face à la question de la mort, parce que plus vous libérez toute votre programmation négative, plus l'énergie qui l'entourait auparavant est maintenant attirée vers votre programme limitatif n° 1 : l'inévitabilité de la mort.

Votre fort désir inconscient de la mort est fréquemment active quand vous êtes sur le point de faire une percée spirituelle. Vos plantes commencent à mourir, votre animal familier tombe malade, votre voiture tombe en panne, ou vos dents se carient. Cela, c'est l'univers concret qui vous renvoie votre croyance en la mort et votre ego qui vous entraîne vers un état de désespérance absolue. Vous pourriez aussi bien abandonner votre quête et retomber dans le compromis, comme tout un chacun.

Souvent, quand un de vos parents meurt ou quand vous atteignez l'âge qu'ils avaient quand ils sont morts, votre désir de la mort fait irruption. Votre situation financière peut s'effondrer, votre mariage peut se désagréger, ou vos cheveux peuvent tomber. Il est évident que plus vous créez de douleur et d'inconfort dans votre corps physique, plus vous serez tenté de considérer la mort comme une alternative. Pourquoi continuer ? À quoi cela sert-il ? Rien n'a d'importance, de toute façon ! La plupart des personnes âgées qui choisissent de mourir meurent pour cette raison. Elles laissent aller la douleur de la seule façon qu'elles connaissent. Et loin de moi l'idée de leur donner tort. La mort est très clairement un choix viable et valable quand vous atteignez le point de non retour, bien que le présent message soit qu'il n'est pas obligatoirement inévitable d'atteindre ce point.

D'autres signes d'un fort désir de la mort sont le sentiment que le temps s'enfuit, que vos jours sont comptés, que vous vivez sur un temps d'emprunt et que vous êtes prisonnier du temps.

N'est-il pas ironique que, d'une part, nous croyions que le temps guérit toutes les blessures, et que d'autre part nous prenions en considération les grains de sable qui s'écoulent dans le sablier de notre vie ?

Votre désir de vivre est plus fort que votre désir de mourir.

Plus vous aimez vraiment votre vie, plus vous voudrez vivre pleinement, et plus vous découvrirez des façons d'être davantage créateur dans votre vie. Un cœur ouvert touche toujours l'infini, et l'infini est une source d'inspiration illimitée.

Opération-déviation n° 19

Prenez conscience de la tradition de votre famille au sujet de la mort. Dessinez un arbre généalogique qui remonte jusqu'à trois générations. Faites la liste de vos principaux parents et ancêtres, avec les dates de leur naissance et de leur mort, et les causes de celle-ci. Essayez d'y trouver un pattern que vous voudriez supprimer.

Si vous vivez sur un temps d'emprunt, il est important que vous vous rappeliez que c'est vous qui avez d'abord contracté l'emprunt, et que vous devez donc être quelqu'un de solvable. Autrement dit, la mort est une entente que vous avez conclue et que vous voulez peut-être renégocier. Peut-être votre grand-père que vous aimiez vraiment beaucoup est-il mort paisiblement pendant son sommeil quand il avait quatre-vingts ans, et vous vous êtes alors dit : « C'est comme ça que je veux mourir » ? Vous pouvez très bien ne pas y avoir repensé pendant plusieurs années, mais cette idée est comme une bombe à retardement dans votre corps.

♡ ***Vous devez choisir la mort avant que la mort ne puisse vous choisir !***

Les enfants ont énormément de difficultés à comprendre le concept de la mort, ce qui prouve — du moins pour moi — que quelque chose manque quelque part. Cela vient, en partie, de tous les mensonges, mythes, et messages à double sens que nous entendons à propos de la mort quand nous sommes petits. Les parents parlent plus facilement du sexe que de la mort à leurs enfants.

Il est vrai aussi que, quand nous sommes enfants, nous avons une idée intuitive de l'immortalité, sans doute parce que nous sommes psychiquement plus sensibles étant donné que nos cœurs n'ont pas encore cédé à la pression sociale. Quand nous sommes enfants, nous sommes portés à ressentir la mort comme une histoire inventée par les grandes personnes.

L'histoire suivante est une histoire vraie, tirée d'un vrai journal, et elle montre simplement à quel point les enfants peuvent être immortels.

Un bébé survit à son passage sous un bulldozer

> « Green Cove Springs, FL (AP). Un bébé de dix-huit mois est rescapé presque sans une égratignure après que le bulldozer de son père soit passé sur son corps. Les docteurs et les représentants du shériff déclarent ne pas comprendre comment l'enfant a pu survivre.
>
> Melvin McCall, le père de Dewey, conduisait son bulldozer la semaine dernière quand la vitesse s'est soudainement désengagée, secouant McCall et envoyant le bambin rouler par terre. À sa grande horreur, quand McCall regarda par terre il vit une jambe de l'enfant dépasser de sous la chenille du tracteur — trois tonnes de métal enfonçant le corps minuscule dans la terre tassée.
>
> Mais Dewey n'est pas mort.
>
> Il a été emmené en urgence à l'hôpital, et les rayons-X n'ont révélé ni fracture osseuse ni dommages internes.
>
> Il a quitté l'hôpital Clay Memorial vendredi.

'Je ne peux absolument pas expliquer comment cet enfant a survécu', a déclaré le lieutement Derry Dedmon, du bureau du shériff du comté de Clay, qui enquêtait sur l'incident. 'Nous ne pourrions même pas mettre nos mains sous la chenille.'

Dedmon a dit que, pour seules traces de ce qu'il avait subi, Dewey avait quelques marques de chenille sur le dos et une coupure à la tête.

'C'était un phénomène tout à fait extraordinaire', a déclaré Steven Hitt, administrateur de l'hôpital, qui a ajouté que les docteurs n'avaient aucun argument médical pour expliquer la survie de l'enfant.

La chenille a roulé sur l'enfant sur une longueur d'environ trois pieds. Quand McCall a lentement reculé le bulldozer pour dégager le corps de Dewey, il a laissé une marque dans le sol.

'Ses petits yeux lui sortaient de la tête... Il avait l'air d'être complètement aplati. Il avait tout simplement l'air d'être complètement étalé sur le sol', a dit McCall.

Dewey a repris conscience alors qu'il était emmené en urgence à l'hôpital, et son gémissement s'est transformé en une plainte constante. Les docteurs stupéfaits ont procédé à l'examen de Dewey, puis ils l'ont gardé deux jours en observation. »

Plus vous entendez des histoires comme celle de Dewey, plus vous vous souvenez des moments où vous vous êtes senti invulnérable, des moments où vous osiez vivre complètement la vie et prendre des risques que vous ne penseriez même pas à prendre maintenant.

Bien sûr, votre ego veut que vous croyiez que la mort est réelle et inévitable, parce que tant que vous le croyez il n'y a aucune chance d'échapper à son système fermé. Et plus vous recevez d'amour, plus votre désir inconscient de la mort est stimulé. La majeure partie des meurtres sont commis dans les familles.

L'amour et la mort sont des partenaires incompatibles. Vous voulez très certainement que votre cœur divorce de la peur de la mort. Quand vous le faites, votre cœur peut à nouveau prendre les risques qu'il n'a jamais hésité à prendre quand vous étiez enfant.

Quand vous rencontrez une personne et que vous reconnaissez l'amour qu'il y a entre vous, cet amour-là est éternel, vous faites l'expérience d'une connexion éternelle, d'un éveil qui se situe au-delà du temps et de l'espace. Comment pouvez-vous expliquer autrement un sentiment si profond envers quelqu'un que vous n'avez jamais « connu » auparavant ? À un niveau quelconque, vous devez être en train de vous rappeler quelque chose que vous ne saviez même pas que vous saviez.

L'amour n'est pas mesurable. Il n'est pas un bien que l'on possède en un lieu donné à un moment donné. Seul un cœur ouvert peut posséder l'amour ! Si vous essayez de vous y cramponner, il vous glissera entre les doigts et vous n'aurez plus rien. Amasser l'amour, c'est comme amasser l'argent. Plus vous en recevez, plus vous pensez que vous n'en aurez jamais suffisamment. Ce n'est qu'en ne retenant pas l'amour que l'amour coulera librement à travers vous.

L'amour est le courant éternel de la vie elle-même !

C'est pourquoi le concept d'étrangers est si absurde. Qu'est-ce qui détermine le moment où un étranger devient un ami ? Cela prend combien de tasses de café, de conversations, ou de rendez-vous ? En fait, vous en savez beaucoup au sujet des gens quand vous les rencontrez pour la première fois. Si votre cœur est ouvert, vous recevez à première vue toute une profusion d'informations intuitives et télépathiques.

Il n'y a pas d'étrangers. Nous sommes une famille à l'échelle du monde, et nous sommes tous en voie de reconnaissance de soi. Un étranger, c'est simplement une personne avec laquelle vous vous sentez étrange. Plus vous êtes à l'aise avec vous-même quand vous êtes en présence des gens, plus les étrangers semblent être de vieux amis.

Comment pouvez-vous vous abandonner à la sagesse qui est dans votre cœur, ou encore vous engager dans des relations d'amour qui durent toujours, si vous ne vous sentez pas en sécurité dans l'univers concret ? (Et vous n'êtes pas en sécurité tant que la mort est tapie dans un recoin de votre inconscient.)

Comment pouvez-vous laisser tomber le contrôle et sentir la pleine puissance et la joie de l'amour si, subconsciemment, vous avez peur que votre puits ne s'assèche ?

Chaque fois que vous avez l'impression de perdre quelque chose de valeur, c'est tout simplement pour faire de la place pour quelque chose de meilleur.

Comment pouvez-vous vous abandonner à l'immortalité de l'amour alors que vous pensez que plus vous utilisez votre énergie, plus vos réserves s'épuisent ? Vous souffrez d'une crise d'énergie qui dure depuis toujours, vous épargnez soigneusement vos ressources émotionnelles et physiques de peur d'être prématurément à court de vie.

Faire l'amour est une situation au cours de laquelle cette peur est vécue le plus intensément par beaucoup de personnes. Plus elles deviennent excitées, plus leur subconscient les fait s'accrocher. Plus elles ressentent le plaisir et la vie, plus elles retiennent leur respiration. C'est souvent au cours d'une relation sexuelle que la peur d'une crise cardiaque est la plus forte. (Le sexe et la mort ont toujours été associés. Les Français appellent l'orgasme « la petite mort ». Les poètes métaphysiques parlaient également de l'orgasme comme étant la mort.)

Opération-déviation n° 20

Faites une liste de dix façons d'augmenter votre plaisir et votre vitalité. Planifiez-les sur une base régulière dans votre agenda.

Les relations mortelles sont un cul-de-sac — au mieux, elles sont une échappatoire temporaire au destin inévitable. Ou bien vous choisissez de mourir ensemble, ou bien vous faites demi-tour et prenez à nouveau la direction de l'autoroute traîtresse de la vie. Vous parlez d'un choix !

Si vos relations sont fondées sur votre désir inconscient de la mort, vos priorités deviennent distordues. Vous êtes alors beaucoup plus soucieux de votre sécurité que de votre salut. Vous vous dites que si vous pouvez acquérir assez de biens matériels, vous pourrez éviter tous les démons de ce monde froid et cruel. Vous succombez au syndrome de Howard Hughes, et votre paranoïa fondamentale vous fait construire des systèmes de défense de plus en plus élaborés à mesure que vous devenez plus riche. La qualité de votre vie est réduite à la survie dans la jungle. Vous oubliez que vous savez comment survivre et que ce qui compte maintenant, ce n'est pas si vous allez y arriver, mais comment vous allez y arriver.

Votre corps est la partie de l'univers concret qui est la plus proche de vous. Et pourtant, quelles responsabilités prenez-vous à son égard ? La plupart des gens savent beaucoup mieux comment réparer leur voiture que comment guérir leur corps — sans parler de le rajeunir. L'incapacité des gens à s'occuper de leur propre corps permet aux médecins de se faire des millions de dollars. Quelle escroquerie !

Conscience de l'immortalité	***Conscience de la survie***
Amour	**Séparation**
Abondance	**Pénurie**
Santé	**Maladie**
Paix	**Conflit**
Aisance	**Lutte**
Plaisir	**Douleur**
Joie	**Dépression**
Satisfaction	**Frustration**
Salut	**Sécurité**
Réussite	**Échec**
Intimité	**Circonspection**
Dieu	**Rébellion**
Innocence	**Culpabilité**
Vitalité	**Refoulement**
Abandon de soi	**Résistance**
Intuition	**Compréhension (mentale)**

Votre corps est un ami, pas un étranger. Il vous communique sans cesse tout un éventail de messages qui concernent votre subconscient. Si vous avez mal au dos, c'est que vous ne recevez pas l'aide dont vous avez besoin ; si vous souffrez des jambes, c'est que vous avez peur d'aller de l'avant ; si vos épaules sont endolories, c'est que vous portez un fardeau trop lourd. Vos yeux ? Qu'est-ce que vous ne voulez pas voir ?

Si vous êtes résolu à interroger votre corps, vous pouvez le guérir de maux et douleurs minimes dès maintenant. Trouvez les causes qui sont enracinées dans votre subconscient, déracinez-les, et implantez de nouvelles pensées à base d'amour. Il serait judicieux de profiter parallèlement du meilleur avis médical que vous pouvez obtenir, surtout quand le mal semble sérieux et dépasse les limites de votre propre pouvoir actuel de guérison. La question n'est pas d'invalider la médecine occidentale, mais de vous encourager à établir une tendre relation avec votre corps et d'assumer la responsabilité de ce qui s'y passe.

La maladie est, tout d'abord, un manque de bien-être ; c'est un signe très clair que vous avez besoin de relaxer et de prendre les choses en douceur pendant un certain temps. À partir de maintenant, considérez chaque maladie comme étant un ramassis de symptômes physiques sur la voie de sortie. Ces symptômes sont souvent la « guérison en cours de route », mais étant donné que vous croyez dur comme fer à la maladie, vous entravez involontairement la libération totale de ces symptômes. (Peut-être est-ce une façon inconsciente de jouer à la personne faible et démunie, et d'obtenir ainsi l'appui émotionnel que vous ne vous donnez normalement pas ?) Il faut aussi se dire que nous sommes dans une culture habituée au soulagement temporaire par opposition à la guérison définitive. Tous autant que nous sommes, nous anesthésions de très bon cœur nos symptômes désagréables à coups de calmants, mais dans cette façon de faire il n'y a pas que la douleur à être anesthésiée.

Prenez conscience de vos dépendances physiques aussi bien que mentales. Qu'est-ce qui vous est nécessaire, d'après vous, pour survivre ? Trois repas convenables et huit heures de sommeil par nuit ? Ou peut-être : pas de viande mais du riz brun et des légumes biologiques ? Nous sommes des créatures de l'habitude, et la plupart de nos habitudes sont le reflet de nos systèmes de croyances en la survie, que ces croyances soient conscientes ou inconscientes. D'ordinaire, soit que nous nous conformions aux croyances de notre famille en matière de santé, soit que nous nous rebellions contre ces croyances. Mais que vous soyez une personne du genre « viande et pommes de terre » ou du genre « blé entier », vous en êtes probablement plus à voir la nourriture, le sommeil, et le fait d'avoir un toit pour leurs conséquences que en tant que choix. Vous êtes peut-être prêt à commencer à ressentir de telles dépendances, et à libérer les sensations et les pensées qui font surface quand vous le faites.

Il existe de nos jours une race de superpuristes, des gens qui croient non seulement en la pollution mais aussi que tout ce qu'ils absorbent menace de contaminer leurs précieux fluides corporels. Si vous croyez mordicus qu'il y a un univers impur prêt à vous « avoir », tout le travail de purification que vous pourrez faire sur votre corps et votre environnement ne suffira jamais à fournir une réelle sécurité. La paranoïa de la nourriture et de l'environnement est le mur d'enceinte de la forteresse de votre ego, tout autant que les pensées plus traditionnelles de crainte peuvent l'être.

Une personne immortaliste est une personne dont le contexte de vie est la sécurité, et non l'attaque. Si le système de valeurs que vous embrassez repose sur les qualités de la vie — qui sont éternelles et qui sont un soutien — plutôt que sur celles qui sont mortelles, vous avez l'avantage psychologique d'apporter une meilleure santé et une plus grande vitalité dans l'écologie de votre corps. Vous pouvez commencer à amener votre corps à relaxer, à vous débarrasser des pensées de vieillissement, et à pratiquer votre rajeunissement. La fontaine de Jouvence est, en fin de compte, l'infini réservoir d'amour qui est dans votre cœur.

Un esprit ouvert peut ouvrir votre cœur et votre corps à une énergie beaucoup plus grande que celle que vous avez pu connaître jusqu'alors. Un corps rigide est le miroir d'un esprit et d'un cœur rigides.

La rigidité est de la fragilité. La relaxation mentale et émotionnelle est la clef de l'endurance physique, de la résistance, et de la longévité.

Le paradoxe est le suivant : un esprit ouvert et un cœur ouvert vont à coup sûr ouvrir votre cœur à un réapprovisionnement spirituel, ils vont recharger vos cellules d'une nouvelle vitalité et d'années supplémentaires. Mais sauf si vous vous mettez à accueillir favorablement — si ce n'est pas à embrasser — le concept de l'immortalité, vous ne créerez pas un contexte favorable à la sécurité que vous avez besoin d'exploiter.

Le choix est très clair : « Être ou ne pas être », qu'il soit plus sage de vous concentrer sur votre force de vie et d'habiter le royaume de la vie éternelle ou d'accepter votre mortalité comme une falaise inévitable d'où vous devez descendre pour rester suspendu au-dessus du précipice de la vie, « subissant la fronde et les flèches de la fortune outrageante ».

Quand, dans les relations, on opte pour une joie plus grande et une plus grande vitalité, on opte pour ce qui est la fondation d'un engagement durable. Si vous et votre compagnon, ou vous et un ami, vous vous consacrez tous les deux à améliorer sans cesse votre bien-être personnel et votre bien-être mutuel, l'engagement à augmenter la vitalité devient la base d'une relation d'amour immortelle.

Pendant la plus grande partie de ma vie je n'ai pas su ce qu'était un véritable engagement. Je confondais engagement et ententes. Maintenant je réalise que les ententes, même si elles sont nécessaires au début d'une relation, viennent de l'esprit et elles ne peuvent en aucun cas remplacer un vrai engagement qui, lui, vient du cœur. (Un avocat m'a dit un jour que toutes les ententes sont basées sur la méfiance. Vous ne faites pas confiance à quelqu'un dans votre cœur, donc vous devez vous protéger par un contrat qui l'oblige à tenir sa parole !)

Ce que je pensais, c'est que vous prenez un engagement, puis vous vous retrouvez coincé avec, ou bien vous ne le respectez pas. Ce n'est pas du tout ainsi. Votre engagement, vous le découvrez à différents niveaux, et à chaque fois que vous le découvrez il devient plus profond. C'est comme un arbre. Vous le plantez et vous le nourrissez. Avec le temps ses racines s'enfoncent. Les tempêtes et les sécheresses testent la volonté et la raison d'être de l'arbre. Chaque fois qu'un test est réussi, il y a émergence d'un sentiment de conviction de plus en plus profonde et de permanence plus forte. Il en est ainsi de l'amour. Au début, vous constatez simplement que vous êtes dedans. Vous ressentez cette sensation délicieuse d'une reconnaissance et d'une connexion éternelles. C'est le premier niveau de l'engagement. Ensuite, vous prenez toute une série de décisions : on va vivre ensemble, voyager ensemble, mettre notre argent en commun, travailler ensemble — tout ce qui semble le mieux nous convenir dans notre but d'être ensemble.

Votre amour — tout comme l'arbre — subit assez vite ses propres épreuves et ses souffrances. Et à chaque fois que vous essuyez une tempête, que ce soit la compétition, la jalousie, ou l'insécurité financière, vous remarquez un approfondissement de votre engagement, un renforcement de votre amour, une intensification de votre raison d'être un. Les racines s'enfoncent. Mais plus la situation s'améliore, plus votre pattern de sabotage émerge. L'ego déteste la perfection et ferait n'importe quoi en son pouvoir pour vous saper. La peur d'être pris au piège et la peur d'être abandonné peuvent démolir une relation d'amour avec autant de violence qu'un ouragan. (En fait, l'impression d'être enfermé et la terreur de ne pas trouver l'issue sont provoquées par le souvenir subconscient de cette impression d'être pris au piège que l'on avait dans l'utérus.) Mais plus vous et votre partenaire vous concentrez sur votre volonté de vivre, plus le désir de vivre de votre amour bat en brèche le désir de la mort, et plus votre volonté l'emporte.

Fut un temps où je pensais que la liberté était le contraire de l'engagement. Maintenant, je sais mieux ce qu'il en est. Ce que la plupart d'entre nous appellent la liberté est en fait un coma. Être en suspens au-dessus de toutes les options et occasions de la vie et ne rien choisir, ce n'est pas de la liberté ; c'est de la paralysie. La liberté de choix est vécue uniquement dans l'acte de choisir. C'est seulement quand vous vous plongez totalement dans un choix, que ce soit le travail, ou l'amour, ou la famille, que vous découvrez votre véritable liberté et la porte qui ouvre sur tout.

Comment pouvez-vous plonger si vous êtes encore paralysé par la peur de la perte ? Trop de fois vous vous retenez loin de l'amour, vous comptez les points de la vie, et vous attendez de voir comment vos relations vont tourner avant de les choisir pleinement. Mais, sans choix, quelles chances avez-vous ? Tant que votre esprit regarde, observe, et juge, vous n'êtes même pas pleinement dans la relation. Nous sommes une culture d'infirmes émotionnels, handicapés par notre propre manque de foi.

Il est important de faire part de l'amour que vous ressentez quand vous le ressentez. En général, quand les gens tombent d'abord amoureux l'un de l'autre, ils n'arrêtent pas de se dire combien ils s'aiment. Puis, avec le passage du temps, « Je t'aime » devient une déclaration hebdomadaire ou mensuelle au lieu d'être un énoncé journalier. Puis les mots disparaissent complètement. La relation est sur pilote automatique et les patterns inconscients prennent la relève.

Plus vous faites part de l'amour que vous ressentez, plus vous avez d'amour à ressentir. L'amour ne meurt jamais, mais il peut disparaître pour un moment s'il est négligé. Ce que vous reconnaissez grandit devant vos propres yeux !

Ma passion, c'est la paix.

Quand votre passion pour la paix, pour la joie et pour la vitalité dans votre relation intime fait partie intégrante de vos cellules, vous voulez tout naturellement partager ce but dans le monde.

Il y a aujourd'hui beaucoup trop de négativisme sur la planète. Allumez votre télé, ouvrez un journal ou bien lisez une revue. Où que vous regardiez, l'air est empli de reportages des plus sombres et de prophéties des plus pessimistes.

Comment pouvez-vous surmonter votre loi primale, sans parler d'ouvrir votre cœur à l'immortalité, quand votre vision du monde est assombrie par les annonces d'Armageddon ?

Comment pouvez-vous avoir confiance en la vie quand, où que vous regardiez, vous voyez la guerre, la faim, et la mort ?

Comment pouvez-vous exploiter vos talents et vos énergies et contribuer réellement à la qualité de la vie sur la planète si vous pensez que votre effort sera vain parce que le cataclysme est inévitable ? (Ce besoin de contribuer est pourtant en chacun de nous, pour que nous nous sentions satisfaits de nous-mêmes.) Avoir une vue optimiste du monde vous aide à ouvrir votre cœur !

Beaucoup de gens rétorqueraient à cela que les exposés négatifs sont des faits, et qu'être « bien informé » peut nous motiver à entreprendre des actions positives. Mon opinion est la suivante : quand on considère que les forces de destruction sont insurmontables et irréversibles, le fait de se lever le matin est déjà pas mal difficile. Comment, alors, penser que vous pouvez surmonter toutes les étrangetés qui vous submergent et que cela ferait vraiment une différence ? « Où voulez-vous en venir ? » devient une question valable et de pure forme, et quand il se trouve beaucoup de gens à penser ainsi, la destruction de la Terre devient alors un problème réel qui est entre nos mains.

On a dit du cynisme qu'il était le dernier refuge des romantiques. Les romantiques croient qu'il existe une échappatoire à l'austère réalité, et ils vont même jusqu'à mourir pour prouver leur dévouement à l'amour. Le syndrome de Roméo et Juliette est fondé sur une vision tragique de la vie, une vision où l'amour rejette la vie et la vie rejette l'amour. Les cyniques, eux, croient qu'il n'y a d'échappatoire ni à la vie ni à la mort et que la perdition est inévitable, alors autant se résigner à l'inéluctable.

L'optimisme est la philosophie de l'amour et de la vie.

Le contexte de l'amour, c'est l'optimisme !

L'optimisme vous pousse à faire un usage optimal de votre potentiel. Les faits que vous apprenez au sujet du monde correspondent à la façon dont vous voyez le monde. Nous trouvons toutes les statistiques dont nous avons besoin pour prouver que notre point de vue est exact. Ayez le courage de croire dans les forces de vitalité et d'évolution. Trouvez et libérez votre propre « souhait de mort », trouvez ces pensées fondées sur le concept que la mort est inévitable (les pensées du genre « C'est sans espoir », « J' n'ai pas assez de temps », « Je n' peux pas y arriver », « Ça m' tue », « Il faut que je m'sorte d'ici », « Qu'est-ce que ça change, de toute façon ? »).

Ainsi que nous l'avons vu, la plupart de ces pensées viennent probablement de la naissance, et même si les recherches récentes sur la prolongation de la vie et la vie après la mort semblent peu concluantes, il vous incombe de brancher l'énergie de votre cœur sur des pensées de vie, et non de mort. Si les croyances qui vous tiennent à cœur sont les résultats que vous obtenez dans la vie, croire de tout cœur que la mort est inévitable ne peut que vous faire mal au cœur et l'endommager. Et c'est littéralement ce que je veux dire.

Si vous croyez que la vie a une limite, il y aura toujours une partie de vous que vous retiendrez, ménageant ainsi votre énergie pour l'avenir. Vous éviterez de prendre des risques parce que vous ne vous sentirez pas en sécurité dans l'univers concret. Et les moments où vous vous sentirez le plus en vie vous mèneront, ou bien à vous renfermer, ou bien à vous épuiser totalement. Vous vous sentirez, pour ainsi dire, comme si vous étiez né avec un seul réservoir d'essence, et comme si, de ce fait, vous deviez l'utiliser avec parcimonie dans votre vie, à moins que vous ne la consommiez d'une façon insensée. Vous allez être englué dans l'indécision, la paralysie vous saisira à chaque coin de rue, et votre vie sera gâtée par l'urgence et le désespoir. Vous vivrez dans la peur constante de perdre votre temps, et en même temps vous penserez que, tous comptes faits, la vie est une perte de temps. Vous serez d'accord avec les pensées collectives de pénurie d'essence, de pénurie d'eau, de crise de l'énergie et du manque d'argent.

Quand une culture est basée sur la mort, cela se reflète au niveau économique par des produits naturellement surannés, des modes qui passent continuellement de mode, et des chercheurs de plaisirs qui courent après la gratification immédiate comme s'il n'y avait pas de demain. La mort n'est définitivement pas une façon de vivre.

Si vous ne vous réappropriez pas votre propre pouvoir de croire en la vie et en l'amour, vous vous rendez vous-même impotent, impuissant, et prédisposé à croire tous les mythes collectifs de détérioration, de dépression et de destruction.

Vous avez le choix : soit que vous pensiez pour vous-même, soit que d'autres vous disent quoi penser. Si d'autres vous disent quoi penser, ou bien vous les croyez mais leur en voulez, ou bien vous les rejetez sans toutefois prendre vos propres décisions. Rappelez-vous : les composantes de votre propre esprit sont votre propre affaire. Si vous êtes « en dehors du coup » à tout jamais, vous ratez les réjouissances qui sont un droit que vous acquérez à la naissance.

Nous vivons dans un univers illimité dont seulement une fraction infinitésimale nous est connue. L'univers n'est pas en train de tomber en panne d'essence. Il se transforme continuellement, il éclate d'une nouvelle lumière inattendue, les galaxies sont innombrables, les sables sans limites sont en perpétuelle mouvance — mais ils ne coulent certainement pas dans un sablier.

L'univers est encore en création. Sa naissance est inachevée.

Pourquoi en serait-il différemment de nous ? Ouvrons nos cœurs à un univers de possibilités infinies. La vie n'est prévisible que parce que nous l'avons toujours vue ainsi. Plus nous ouvrons nos cœurs à l'inconnu, plus le mystère et le respect empreint d'admiration prennent place dans nos esprits, repoussant ainsi l'ennui, la dépression et l'anxiété loin de nos corps. La passion d'un cœur ouvert et le rêve de l'immortalité sont tellement plus enthousiasmants que le sensationalisme bon marché d'une société qui vénère la mort.

Qui peut dire quelles sont les limites de la pleine conscience ? Les mystères de l'espace cosmique sont rapetissés par le territoire inexploré de l'espace interne. Les comptes rendus sur les maîtres qui peuvent déplacer des objets par l'effet de l'énergie psychique — et qui peuvent même dématérialiser, rematérialiser et transmuter leur corps — peuvent sembler insoutenables à qui n'y croit pas. Et c'est tout naturel, étant donné qu'une personne qui n'y croit pas doit invalider de façon à s'accrocher à sa non-croyance. Pourtant, de récentes recherches scientifiques en Russie et en Amérique laissent entendre que le ciel et la Terre sont réellement bien autre chose que les prévisions newtoniennes.

Beaucoup de grands savants — les Einstein et les Huxley — ont reconnu le rôle de l'inspiration divine dans leur propre découverte, et plus ils connaissaient l'inconnu, plus ils lui vouaient un respect mêlé d'admiration. Quand vous pensez que vous savez tout, c'est que vous avez succombé à la plus grande des grandes ignorances, que vous avez fermé votre cœur à l'esprit qui vous donne la vie, que vous avez fermé votre imagination aux rêves qui produisent des miracles.

La science-fiction est en train de devenir — et vite — la technologie moderne. Qui peut dire avec certitude que l'homme ne pourra pas, un jour, prendre les rênes du pouvoir de son intelligence, de son corps et de son esprit, et participer en toute conscience à son propre voyage vers la perfection (ce que même la théorie de Darwin sur la sélection naturelle laisse entendre) ? Qui peut dire que nous ne sommes pas sur le point de jouer un rôle actif dans la transformation de notre propre corps ? Il est, à mon avis, tout à fait concevable que nous soyons à l'aurore d'un âge où l'homme rejette dans sa totalité le cycle naissance/mort comme un système de croyances périmé — un organe qui serait un vestige de l'ancien temps.

Ouvrez votre esprit aux possibilités illimitées, et l'abondance emplira votre vie !

Imaginez un vaisseau spatial étranger navigant vers la planète Terre. Dedans, il y a une famille d'êtres intergalactiques, très amicaux, en mission d'exploration. Qu'est-ce qu'ils verraient ? Qu'est-ce qu'ils diraient ?

Vus sous cet angle, qui sommes-nous, nous les terriens ? Est-ce que nous ne sommes pas une famille d'êtres humains totalement absorbés par ce qui se passe dans notre petit coin de galaxie ?

La Terre est une affaire de famille !

Nous nous chamaillons, nous nous querellons, nous prétendons être séparés par la race, le sexe, ou la nationalité, par la couleur de peau ou par la religion. Nous rivalisons, nous désapprouvons, nous menaçons même de nous faire sauter nous-mêmes. Mais pourtant, nous sommes une famille !

Le drame des sentiments familiaux non résolus, des frictions et des frustrations est perpétuellement projeté à une échelle planétaire.

Toute guérison commence chez soi. La thérapie du cœur ouvert voit la Terre en tant que chez-soi.

L'immortalité est la clef maîtresse : elle ouvre la porte à toutes les possibilités.

Ce qu'il faut, c'est une armée de gens qui font d'abord sur eux et chez eux un travail d'ouverture de cœur, qui veulent guérir leurs relations familiales et partir en croisade pour un amour au sens pratique, un amour basé sur la coopération, sur la bienveillance, et qui cultive le meilleur de chaque être humain.

Les immortalistes prennent naturellement de plus grandes responsabilités envers le monde dans lequel ils vivent. Leur sentiment est celui-ci : étant donné que, d'une certaine façon, ils projettent d'être ici pour toujours, ils veulent être sûrs de vivre sur une planète qui mérite d'être appelée un chez-soi.

La conscience planétaire est le résultat de l'ouverture du cœur à l'éternité de l'univers, et de l'observation que la Terre est notre chez-soi dans le projet éternel des choses.

Les immortalistes savent également que les relations d'amour ne finissent jamais, bien qu'elles puissent changer de forme. La reconnaissance éternelle est éternelle. Les graines d'amour que nous échangeons avec notre famille, nos amis, nos collègues et nos amoureux sont des graines de vie. Vous pouvez toujours aimer quelqu'un de cette façon, et le fait qu'il soit loin n'a aucune espèce d'importance, et le temps depuis lequel vous le connaissez n'a aucune espèce d'importance non plus.

Opération-déviation n° 21

Écrivez des lettres de « finition » de relation à votre mère et à votre père (qu'ils soient vivants ou morts), à vos frères et sœurs, et à tous vos ex-amoureux ou amis avec lesquels vous avez besoin de communiquer. Faites-en des lettres d'amour, libérez le passé, prenez la responsabilité de vos anciennes blessures, et affirmez le lien éternel qui existe entre vous.

La finition est une bonne façon de commencer !

La finition est la fin de la séparation et le début de l'union.

La finition est la reconnaissance de la perfection au beau milieu de l'imperfection.

La finition est la fin de l'ego et le triomphe de l'esprit.

La finition est la volonté de pardonner et d'être reconnaissant, la volonté de lâcher toutes ces petites bouées auxquelles vous vous êtes accroché de peur de ne pas pouvoir supporter l'impression de vide si vous les lâchiez.

La finition est le fait de reconnaître que la perte est une illusion et que quand nous coupons les cordons, nous sommes libérés, et non pas abandonnés. Nous sommes libres pour expérimenter l'union.

Plus nous libérons les blessures d'hier qui sont enfouies en nous, plus nous ouvrons notre cœur aux trésors engloutis de demain.

Et aujourd'hui est une très bonne journée pour commencer !

Épilogue

L'amitié est le cœur des relations

Les bonnes relations sont toujours fondées sur l'amitié. Qu'est-ce qu'un ami ? Un ami est quelqu'un qui est dans la même équipe que vous, quelqu'un en qui vous pouvez avoir confiance, quelqu'un qui connaît vos forces et vos petits défauts et qui vous aime inconditionnellement, quelqu'un qui a de la compassion pour vos problèmes et qui vous aide dans votre croissance. Et, par-dessus tout, un ami est quelqu'un qui a pour vous de l'affection et de l'amour, et pour qui vous avez de l'affection et de l'amour.

Ainsi qu'il est dit plus haut, il ne faut pas nécessairement beaucoup de temps pour devenir ami avec quelqu'un. Cela dépend de combien de temps vous voulez rester sur vos gardes.

Il est très fréquent qu'une relation d'amour soit basée sur le sexe et qu'une relation d'affaires soit basée sur l'argent, ou le contraire. Parfois, une relation est basée sur l'impuissance, la lutte, la désapprobation, la revanche, ou l'inceste. Si vos relations commencent dans un esprit d'amitié, il est alors beaucoup plus facile de résoudre les conflits qu'il n'est facile de développer une amitié à partir de relations conflictuelles.

Si vous placez l'amitié en premier, vos relations ne s'éteignent pas quand elles changent de forme. De plus, on est doublement payé de retour quand on est en amour avec un ami, ou quand on est en affaires avec un ami.

Vérifiez vos priorités

Il fut un temps où j'avais un système de priorités très simple. Si j'avais un choix à faire, je venais en premier, mon travail en second, mon environnement matériel avait la troisième place et mes relations la quatrième. J'étais véritablement égoïste. Je provoquais fréquemment des disputes parce que je donnais la priorité à mon travail plutôt qu'à ma compagne, ou bien à l'endroit où je vivais plutôt qu'à mes relations. Mes priorités étaient claires, mais elles n'étaient pas vraiment alignées sur mon cœur.

Pour que vos relations soient tout ce qu'elles peuvent être, elles doivent être votre priorité n° 1 dans la vie. À part votre engagement face à votre bien-être et face à Dieu, rien n'a davantage d'importance que les gens qui vous aiment et vous aident. Ne considérez pas ces gens comme un fait acquis. Les relations ont besoin d'être nourries, elles demandent de l'attention, ou alors elles deviennent automatiques et vos patterns inconscients ont le champ libre.

Préférer vos relations à votre travail, à votre chez-vous, à vos loisirs et à votre vie privée n'est pas un sacrifice ; c'est une affirmation que vous accordez plus de valeur à l'amour qu'à la séparation, et que quand vos relations occupent la place qui leur revient, votre vie tout entière se porte beaucoup mieux. Ce n'est qu'après que j'aie préféré l'amour au travail que ma carrière — tout comme mes relations — a vraiment démarré. Les relations ne contrecarrent pas les carrières ; au contraire, elles aident, elles nourrissent, et elles inspirent à contribuer davantage dans le monde. Et plus vous contribuez, plus vous répandez l'amitié et les relations d'amour sur la planète, et c'est précisément le message de ce livre.

Les affaires basées sur l'amitié sont une force de guérison dans le monde. Plus votre affaire prend d'expansion, plus la Terre se voit elle-même comme une affaire de famille.

« La maison » est l'endroit où vous puisez votre amour. Plus vous guérissez votre relation avec vos parents, plus vous pouvez apporter d'amour à la maison. Et plus vous vous sentez guéri quand vous êtes à la maison, plus vous êtes en mesure de partager l'amitié au travail. Vos relations d'affaires bloqueront aux mêmes points émotionnels que les points où vous êtes bloqué avec votre famille. Votre patron deviendra votre père, et vos collègues seront vos frères et sœurs.

Rendez-vous donc service à vous-même. Rentrez à la maison !

Notes extraites de mon journal

C'était au début de septembre 1976. J'étais à Santa Fe, au Nouveau-Mexique. C'était la semaine de la fiesta. Tout le monde était ivre à en avoir perdu la tête. Mon mariage était en train de craquer.

Le clou de la fiesta était Zozobra, une marionnette géante qui représente le dieu des ténèbres. Tous les ans, Zozobra est emmené dans un grand champ et là, sous les yeux de centaines et de centaines de personnes, on l'attache avec du fil électrique. Puis Zozobra est électrocuté, et tout le monde pousse des cris de joie tandis que la grande noirceur mord la poussière, vaincue par la force de vie pour encore un an.

Tandis que je regardais Zozobra brûler, j'ai senti mon cœur se mourir d'envie pour une satisfaction qui m'avait toujours semblé hors d'atteinte. J'ai ressenti la perte, la défaite du divorce, la honte de la séparation. Et quand j'ai eu la fumée dans les yeux, j'ai pleuré.

Peu de temps après, j'ai quitté Santa Fe et ma femme. Le jour où je suis parti, Egg (notre petit chat blanc) a été frappé par un camion, mais il a réussi à traîner son corps blanc ensanglanté jusqu'à notre maison, et il est mort sur notre très grand lit, tache rouge sur un couvre-lit blanc. À ce moment-là, je ne savais pas comment les animaux familiers miment le désir de mort de leurs maîtres.

J'étais fatigué du cycle naissance/mort de l'amour et de la vie. Je me sentais sans espoir, plus désespéré que je ne l'avais jamais été auparavant. Pourtant, au cœur de ma noirceur il y avait une graine de détermination et de certitude, et je m'en sentais très bien.

Je me suis juré : « Jamais plus ! Jamais plus ! »

Ce n'est que quand j'ai pu être heureux tout seul que j'ai pu être heureux avec une femme.

Après m'être séparé de ma femme, j'ai beaucoup travaillé à mon examen de conscience. Un astrologue a fait ma carte du ciel et m'a dit qu'il y avait un karma très fort dans la maison des relations. Je ne savais pas beaucoup de choses au sujet du karma, mais je savais que je ne me sentais pas chez moi dans la maison des relations. En fait, je me sentais comme un véritable idiot dans les affaires de cœur.

Et alors, j'ai commencé à faire vraiment l'idiot. J'ai pensé pendant un certain temps que plus j'aurais de relations, mieux j'y arriverais. En plus, j'avais un penchant vraiment très fort pour le sexe : j'étais dépendant du sexe.

Chaque aventure était moins satisfaisante que la précédente. Je savais bien que je cherchais quelque chose que je ne pourrais pas trouver en dehors de moi-même, mais mon comportement était tellement compulsif que la seule chose que je pouvais faire était de remarquer que plus je cherchais l'amour en dehors de moi, plus le vide dans mon ventre me semblait grand. J'étais vide au plus profond de mon moi. Seul. J'utilisais le sexe pour amortir ma solitude. Seulement, ça ne marchait plus.

Finalement, en désespoir de cause, j'ai choisi d'être célibataire. C'est la meilleure chose que j'aie pu m'offrir. La pression s'est allégée presque immédiatement. Je constatais que je ne voulais même plus de sexe. Que c'était juste une couverture pour cacher ma solitude. Quel soulagement !

Cela a duré à peu près deux jours. Ensuite, j'ai commencé à me dire que quelque chose ne tournait pas rond chez moi. Je devrais avoir envie de sexe ! Je serais encore beaucoup plus seul si je ne trouvais personne à séduire, et vite ! Les femmes allaient complètement m'oublier ! Je mourrais, et personne ne s'en inquiéterait ! Mon esprit était parti pour les grandes manœuvres !

Les semaines passèrent. Je ne ressentais toujours pas le désir. Les mois passèrent. J'étais toujours satisfait d'être seul. Sapristi, qu'est-ce qui n'allait pas bien chez moi ? Est-ce que j'étais homosexuel ? Est-ce que j'étais trop vieux ? À quoi ça rimait de vivre sans sexe ?

Un jour, je me concentrais sur ma respiration quand j'ai vu tout à coup que je ne m'étais jamais vraiment séparé de ma mère. Même si j'avais l'air d'une personne totalement indépendante, il y avait une sorte de niveau d'énergie où j'avais encore besoin d'une femme (par exemple, ma mère ou un substitut quelconque) pour recharger mes batteries, comme s'il y avait un cordon ombilical psychique qui allait de moi aux femmes et que je cherchais une prise pour pouvoir m'y brancher.

Je voyais très bien que cela me contrariait d'être dépendant des femmes, que j'avais détruit toutes mes relations pour prouver que je n'avais pas besoin de femme pour survivre, et je pouvais même voir que cela ne marchait pas parce que le problème était dans mon esprit et il me semblait que je ne pourrais pas l'effacer.

Et puis, un matin, je me suis réveillé et la lutte avait entièrement disparu. C'était comme si j'avais lutté avec l'ange de la mort et gagné. J'ai vu que mon cœur était ouvert et qu'il y avait plein de femmes que j'aimais, et que amour ne voulait pas automatiquement dire orgasme. J'ai vu ce que c'était que l'amitié, ce que c'était que l'amour, et que la peur et la confusion qui régnaient dans ma tête m'avaient conduit à assécher le puits de ma vie sexuelle. J'ai réalisé pour la première fois de ma vie que je pouvais être complètement heureux, que j'aie ou non d'autres relations sexuelles.

J'ai rencontré Mallie peu de temps après. Je suis vraiment très reconnaissant du fait que, aussi explosive que soit la passion entre nous, elle n'est jamais compulsive. Nous sommes complets avant que nous ne fassions l'amour. Faire l'amour, c'est la cerise sur le *sundae !*

Je me souviens de la nuit où je suis tombé amoureux de l'univers.

C'était en août, il faisait chaud, j'étais en voiture et je roulais vers l'ouest pour la première fois de ma vie. J'avais passé les vingt-six premières années de ma vie à New York. J'étais habitué à ce que ma perception du soleil et du ciel soit limitée par les blocs verticaux des gratte-ciel.

Traverser le désert Mohave était quelque chose d'autre. Tout cet espace horizontal m'a tout bonnement fait exploser. Dans mon esprit, j'étais sur une autre planète. Je me souviens de la nuit dans la vallée de la Mort. J'étais là, au beau milieu du désert, au beau milieu de l'univers, au beau milieu de nulle part, avec des millions d'étoiles qui scintillaient comme de la poussière étincelante. Je me suis allongé sur le plancher de l'univers, et je l'ai complètement inhalé, j'ai aspiré tout l'univers en moi. Les larmes me coulaient sur le visage. C'était une expérience totalement stupéfiante, cela dépassait largement l'effet de n'importe quelle drogue que j'avais pu connaître. J'ai perdu toutes mes limites, de façon à ne plus sentir où je commençais et où l'univers finissait. Tout était intimement mêlé, en dedans et en dehors, mes poumons inhalaient tout ce qu'il y avait de vie et alors, en retour, je me suis complètement abandonné à Dieu.

Tout ce que je pensais que j'étais a fondu à ce moment-là. Tout ce que je pensais que je savais au sujet de la vie a disparu. À cet instant précis j'ai su avec certitude que j'étais en sécurité, que la vie était bonne.

Un sentiment de bien-être profond m'a totalement envahi. J'étais en vie. J'étais amoureux de ma vie. Et l'univers de Dieu était un utérus cosmique auquel je pouvais faire confiance pour qu'il me nourrisse.

Ma relation avec Mallie a toujours été extraordinaire. La chose la plus extraordinaire est sans doute que, encore maintenant, quand je me réveille le matin, je la regarde et mon esprit est complètement transporté par tout cet amour que mon cœur contient pour elle. Ce réveil qui transporte complètement l'esprit a l'air d'empirer de jour en jour, Dieu merci.

Je me souviens d'une de nos premières conversations. Nous étions assis sur un canapé et mon cœur pompait comme un puits de pétrole. Je m'étais promis que jamais plus je ne laisserais mon cœur s'ouvrir ainsi. J'avais eu suffisamment de relations qui étaient une succession de hauts et de bas. Les pics ne valaient plus la peine des vallées. Je ne voulais pas ressentir ce que je ressentais. Je ne voulais pas de relation. J'étais parfaitement heureux tout seul, merci. Pour être franc, j'étais terrifié.

Tout à coup, Mallie a dit : « Je ne veux pas de relation », et j'ai su que j'avais rencontré ma semblable.

« Moi non plus ! » ai-je dit, sans être totalement soulagé.

« Bon, alors, je pense qu'on n'a pas de problème. »

« Je pense que non ! »

Mais on en a eu ! Voilà que nous avions l'un pour l'autre cet amour qui nous submergeait. Et d'un autre côté, il y avait cette profonde méfiance en face des relations. Chacun de nous avait déjà été marié, et pour tous les deux le mariage avait été une longue lutte qui n'en finissait pas. Chacun de nous avait eu plus que sa part de coups, et c'était plus épuisant que passionnant. Nous voulions quelque chose de passionné, mais qui dure, ce dont personne n'a jamais entendu parler !

Il nous semblait que l'amour était une situation où on ne gagne jamais : ou bien nous aurions une aventure brève et passionnée qui s'éteindrait d'elle-même, ou bien une relation longue et ennuyeuse qui nous éteindrait tous les deux. Nos seuls modèles de l'amour semblaient être le divorce, la mort, ou la lente détérioration, et toutes les alternatives nous semblaient à tous les deux totalement inacceptables.

Mais il y avait là cet indéniable amour qui ne voulait tout bonnement pas partir ! Que faire ? Pendant cinq jours nous nous sommes assis sur ce canapé, nous disant tout ce que nous détestions à propos des relations, partageant tout ce qui nous faisait peur et tout ce qui nous préoccupait. Chaque fois que je mentionnais une peur, je prenais une profonde respiration et relaxais, mais je sentais à chaque fois une nouvelle et plus puissante vague d'amour me submerger. Après cinq jours, l'amour semblait plus immense que cela ne peut être possible.

Nous avons alors décidé, en 1977, de devenir nos propres modèles de rôles — nous avons décidé de jouer avec notre relation d'une façon que nous n'avions jamais vue auparavant, et de nous consacrer à l'exaltation et à la longévité, deux concepts que nous n'avions jamais vus conjointement unis dans une relation mais sans lesquels nous ne voulions pas vivre. Et pendant toutes les années que nous avons vécu ensemble, il n'y a pas eu un seul moment que je pourrais qualifier de terne !

L'un des moments les plus terrifiants de ma relation avec Mallie est arrivé après plusieurs mois de vie commune. Je me suis réveillé un matin, j'ai regardé ma belle endormie, et j'ai eu les larmes aux yeux. Je me sentais tellement privilégié de partager un lit avec une femme aussi extraordinaire ! Je n'avais jusqu'alors encore jamais dormi avec un ange. Elle était vraiment la vraie de vraie !

Tout à coup, la peur m'a empoigné à la gorge et je pouvais à peine respirer. Une pensée m'a traversé l'esprit, une pensée tellement stupéfiante et déroutante que je ne savais pas ce qu'il fallait en faire. La pensée était : « J'ai besoin d'elle ! »

Il vous faut comprendre que j'étais un être éclairé. Je savais la différence entre aimer quelqu'un et avoir besoin de quelqu'un, et je savais à quel point le besoin pouvait être désastreux pour une relation d'amour. Je sentais très nettement mon cœur commencer à se fermer. La peur de la perte s'est glissée dans chaque cellule de mon corps. Je tremblais !

Mallie et moi avions convenu que nous dirions vite la vérité, mais cette pensée-là — « J'ai besoin d'elle » — ne sortait pas en mots. J'étais persuadé qu'au moment où j'exprimerais cette pensée, le fond de mon rêve tomberait d'un seul bloc et que je me retrouverais alors tout seul. Je me rappelais Werner Erhard qui disait : « La seule raison pour laquelle nous avons besoin de quelqu'un est afin d'avoir quelqu'un à blâmer ! »

J'ai gardé cette pensée pour moi pendant des semaines. Pendant tous ces jours-là je regardais Mallie de loin, et la boule dans ma gorge me semblait être une bombe à retardement qui allait inévitablement exploser.

Et puis, un jour, je n'ai pas pu la garder plus longtemps. Nous étions dans la cuisine. J'ai dit d'une voix tremblante : « Mallie, j'ai quelque chose d'important à te dire. » Elle s'est tournée vers moi. Elle souriait. (Elle sourit toujours !) À ce moment précis, elle représentait tout ce que j'avais toujours voulu chez une femme. Et voilà que je devais prendre le risque de perdre tout cela ! Je lui ai lâché : « J'ai besoin de toi ! » Elle a ri. « C'est tout ? » a-t-elle demandé, « Eh bien, j'ai besoin de toi moi aussi ! » Nous nous sommes étreints. Mon amour pour elle s'est multiplié.

Maintenant je peux très clairement voir ma folie. La vérité est que le besoin est moins un problème que la peur du besoin. Werner avait tout compris à l'envers. Une des principales raisons que nous avons de blâmer les gens est que nous avons peur de leur dire que nous avons besoin d'eux ! Nous avons peur de demander de l'aide ! Dans une relation, les gens n'ont pas réellement besoin l'un de l'autre. Vous surviviez avant la relation et vous pouvez sûrement survivre à une autre perte. Toutefois, plus nous nous approchons de l'amour, plus le souvenir du moment où le cordon ombilical a été coupé (et la peur de revivre ce moment) est activé. Nous cherchons à rester niché dans l'utérus qu'est l'amour parce que nous avons peur que le fait de sortir dans le monde ne nous conduise à une perte.

C'est ce qu'on appelle les relations spéciales (voir *A Course in Miracles*), et la pensée qui l'exprime le mieux est celle-ci : « Ma belle (ou mon vieux), c'est toi et moi contre le monde ! » Dans un cas semblable, ce qui s'est passé c'est que vous avez pris votre propre peur de l'attaque et de la perte et vous l'avez enterrée sous la protection de votre partenaire. L'amour devient un abri contre la tempête, un Pentagone romantique ! Seulement, c'est une défense sans espoir parce que l'ennemi est à l'intérieur.

Je constate que la plupart des relations passent par ce stade de cocon. D'une certaine façon, vous devez choisir d'abandonner le monde pour lui préférer votre amour, ou du moins c'est ce qu'il semble. Vous ave parfaitement le droit de vous lier à votre compagno Mais les relations spéciales qui restent spéciales peuv très bien connaître le sort de Roméo et Juliette — mort très douce ! D'une certaine façon, pour que l'a grandisse totalement il doit sortir et être partag le monde. Et quand vous en êtes là, vous avez ur tion sacrée, fondée sur l'inclusion, et non sur l'ex

Nous avons tous besoin les uns des autres. I est une famille d'êtres interdépendants. Nier v protester de votre indépendance pourrait fort bien être trop protester !

Ouvrir votre cœur en grand c'est vous efforcer d'être toujours indépendant, mais c'est aussi vouloir partager ce que vous avez, et non pas de le thésauriser, et c'est également reconnaître l'interdépendance de toute vie.

Il y a une écologie naturelle qui gouverne le flot de l'amour — si seulement nous pouvions supprimer les barrages qui sont dans notre esprit !

Ne niez donc pas vos sentiments de besoin, d'impuissance et de dépendance. Nier bloque l'énergie. Avouer ouvre le cœur !

Le pouvoir de l'esprit ne cesse jamais de m'étonner.

Je me rappelle une fois où, il y a plusieurs années, Mallie et moi étions en train de vivre des sentiments de séparation dans notre relation. Nous venions juste de diriger une session à San Francisco et nous arrivions à l'aéroport pour notre vol retour. Quand nous sommes arrivés au comptoir on nous a dit qu'il n'y avait plus de sièges contigus.

Depuis toutes ces années où nous voyagions ensemble, il ne nous était encore jamais arrivé de ne pas pouvoir être assis l'un près de l'autre dans un avion. Nous nous réjouissions toujours à l'avance de ce précieux temps passé seuls. Les avions étaient l'un des quelques endroits où nous pouvions être ensemble sans être interrompus — pas de sonnette, pas de téléphone, pas de clients en urgence.

Étant donné que nous étions des êtres éclairés, nous avons immédiatement admis que nous projetions nos pensées de séparation sur ce vol. Cela nous semblait ironique de voler avec la compagnie United et pourtant de ne pas pouvoir être assis ensemble. Nous nous sommes éloignés du comptoir, cherchant une solution au lieu de faire la tête (alternative que nous avons appris à rejeter).

Nous croyions que tout problème était, à un moment donné, la solution à un problème précédent. La séparation que nous ressentions était clairement le résultat du niveau d'intimité que nous avions atteint et qui menaçait nos systèmes élémentaires de défense. Au lieu d'utiliser le problème pour nous punir, nous avons fait les cent pas dans l'aéroport en marmonnant « J'aime ma séparation, j'aime ma séparation. » Nous avons répété cela plein et plein de fois. Nous étions tout simplement en train d'accepter le problème en tant que solution. Nous avions eu dans le passé beaucoup de succès à jouer avec la pensée « J'aime tellement ma séparation que je voudrais la partager avec tout le monde », et cette pensée a tout en elle pour vous tordre l'esprit. Pour le moment, « J'aime ma séparation » semblait suffire.

Vingt minutes plus tard, nous sommes retournés vers le comptoir ; notre énergie nous faisait du bien. « J'aime ma séparation. J'aime ma séparation. » On nous a immédiatement informés qu'il n'y avait toujours pas de sièges contigus de disponibles. Cependant, United nous paierait deux cents dollars pour prendre un vol qui partait trente minutes plus tard, et nous pourrions nous asseoir où le cœur nous dirait car ce vol était pratiquement vide. Nous avons dit : « C'est très bien ! », et nous sommes allés au bar pour célébrer notre victoire. Il est évident que ça paie d'aimer votre séparation !

Mallie et moi étions devenus tellement populaires avec nos séminaires que bientôt nous ne tenions plus dans notre petit appartement sur la 106e Rue Ouest. Je me souviens d'une nuit où je parlais à soixante-dix personnes dans notre salon de vingt mètres carrés. Le sujet était la naissance, et je me sentais très claustrophobique. Nous avons donc décidé de déménager.

À ce moment-là, j'étais intellectuellement conscient de la relation qui existe entre la naissance et le fait de déménager. Je « savais » que la naissance était le premier grand déménagement de la vie et que toutes les transitions futures étaient vécues à la lumière de la naissance. Je « savais » aussi qu'il n'était pas judicieux pour une femme enceinte de déménager. C'était facile pour moi de comprendre cette ligne de pensée. Pas de problème du tout.

Cela nous a pris neuf mois pour trouver la maison idéale. Ce n'est pas non plus le *New York Times* ou le *Village Voice* qui nous y a aidés. C'était le désespoir total. Une nuit, je me suis totalement résigné à ne jamais sortir de là ! Nous étions bloqués. Il n'y avait pas d'autre endroit pour nous.

Le lendemain matin, un agent immobilier qui avait eu notre numéro de téléphone par un autre agent a appelé. Il avait une maison à nous montrer. Celle-là, c'était la bonne.

Nous devions emménager dans notre triplex de grès brun le 1er juillet au matin. Les déménageurs sont venus, ils ont chargé le camion et nous étions devant notre nouveau seuil avant midi. Nous avons ouvert la porte, et avons trouvé les anciens propriétaires en train d'emballer leurs caisses.

La longue attente a commencé. La frustration montait. Les heures passaient. La rage et l'impuissance prenaient de l'ampleur. Les sentiments étaient totalement hors de proportions avec la situation. D'accord, les anciens propriétaires étaient de vrais imbéciles. D'accord, nous avions un bail pour prouver notre droit d'emménager. D'accord, nous avions le droit d'être là. Et puis après? Le fait était que, au crépuscule, les imbéciles seraient dehors et nous serions dedans. Pourtant, cela n'avait pas l'air certain du tout ; nous avions l'impression que le tapis cosmique avait brutalement été retiré de sous nos pieds. Cela ressemblait à l'enfer, ou au moins aux limbes.

Sachant ce que nous savions au sujet de la naissance, nous avons dû regarder nos propres esprits. Qu'est-ce que, de mon scénario primal inconscient, j'étais en train de projeter dans ce déménagement ? J'ai téléphoné à ma mère. Je l'avais déjà interrogée à fond à propos de ma naissance, mais de temps en temps, en parlant avec elle, un nouveau morceau du casse-tête trouvait sa place.

Ma mère a répondu au téléphone. Je lui ai raconté le long délai dans l'emménagement et lui ai demandé de me parler de ma naissance. Elle m'a rappelé que j'étais né pendant la guerre, pendant une tempête de neige ; que les hôpitaux manquaient de lits et d'infirmières ; qu'elle avait été attachée à un chariot ; que l'attente avait semblé interminable et que, finalement, les infirmières du Divine Father m'avaient mis au monde. Je savais tout cela. Je savais l'anxiété d'attendre quand tout est à l'envers. Est-ce qu'il n'y avait pas quelque chose d'autre ?

Finalement, ma mère m'a dit. Elle avait emménagé dans un nouvel appartement le jour où elle a accouché de moi. Les anciens propriétaires n'en finissaient pas de quitter les lieux. C'était frustrant. La situation était la même. Les sentiments étaient les mêmes. Je pouvais relaxer. Le casse-tête était un peu plus clair.

Je suis toujours ébahi de la précision avec laquelle nos vies répètent le scénario de notre naissance.

Un jour, la vérité à propos de la culpabilité m'a frappé sur le dessus de la tête.

J'avais compris comment la culpabilité fonctionne : comment toute culpabilité est une autopunition et comment toute autopunition recherche l'assentiment de l'univers concret ; comment l'échec ou le succès pouvaient me faire me sentir coupable ; comment je n'étais pas une victime ; comment chaque attaque était le résultat des pensées d'attaque dans mon subconscient ; comment la culpabilité était tout simplement ma mafia personnelle. J'avais compris tout cela. (Vous parlez si j'avais bien compris !)

La vérité, en fait, était que je ne pourrais pas comprendre, vraiment comprendre le mécanisme de la culpabilité tant que je n'aurais pas éclairci un souvenir d'enfance qui me revenait souvent. J'avais beau devenir un être plus éclairé, l'image de ce faux jeton d'Alan Goldstein se glissant en douce derrière moi et me frappant sur le dessus de la tête avec un bâton de base-ball me bloquait dans une mentalité de victime. Qu'est-ce que j'avais fait pour mériter cela ? Manifestement, il y avait des choses qui dépassaient ma responsabilité. Dieu merci. Je pouvais rester en colère.

Et puis un jour, alors que je faisais de la respiration consciente, la vérité m'a frappé sur le dessus de la tête — la raison pour laquelle le bâton de base-ball et mon crâne s'étaient violemment rencontrés dans le temps et l'espace. J'avais vraiment été coupable. Alan Goldstein était le meilleur joueur de base-ball ; tout le monde savait cela. Mais en ce jour fatidique, j'avais joué d'une façon superbe, mieux que Alan Goldstein, mieux que n'importe qui d'autre. J'avais marqué deux points et j'avais fait une prise spectaculaire. Je me rappelais le sentiment d'allégresse après le jeu, et l'inquiétude qui avait suivi. Je pouvais même me rappeler très précisément ce que je pensais à ce moment-là (« Je ne suis pas censé être aussi bon que cela ! »), et je me suis souvenu du son du bâton me frappant la tête. J'ai respiré, et j'ai hurlé : « Je mérite de réussir ! »

J'ai soudainement senti dans chaque cellule de mon corps comment et pourquoi la peur du succès avait toujours été plus forte que la peur de l'échec.

Nous sommes des créatures coupables ! Nous sommes beaucoup plus terrifiés par l'idée de surpasser notre famille ou nos amis que par l'idée de nous poser sur la Lune. Pourquoi est-ce que si peu d'entre nous réussissent ? Nous n'avons pas le cran de prendre le risque de recevoir un coup de bâton de base-ball sur le dessus de la tête. C'est du moins ma théorie.

Chanson pour Mallie

J'ai toujours su
comment tomber amoureux ;
j'ai toujours su comment
être amoureux ;
mais il y a une chose
que je n'ai sue
que quand je me suis
trouvé en toi.

Je n'ai jamais su
comment rester amoureux ;
j'ai toujours cru
que je devais payer pour
l'amour ;
je n'ai trouvé
ma route dans l'amour
que quand j'ai trouvé ma
route vers toi.

J'ai toujours su
comment pleurer
d'amour ;
je savais même
comment mourir
d'amour ;
mais il y a une chose
que je n'ai sue
que le jour où je t'ai
trouvée.

Je n'ai jamais su
comment être chez moi
avec un amour
dont je pouvais dire qu'il
était à moi ;
j'ai toujours pensé
que je devrais partir
jusqu'à ce que tu me
montres comment
rester.

J'ai toujours su
comment bien faire
l'amour,
et quand je ne le faisais
pas,
je pouvais faire
semblant ;
mais il y a une chose
que je n'ai sue
que le jour où je t'ai fait
l'amour.

Je n'ai jamais su
comment faire durer
l'amour ;
j'ai toujours pensé
que l'amour passerait ;
je vivais toujours l'amour
vite, en passant,
jusqu'à ce que tu me
montres comment
rester.

Aide-mémoire pour une thérapie du cœur ouvert

1. **Un esprit ouvert est la clef pour un cœur ouvert !**
2. **Les croyances qui vous tiennent à cœur sont les résultats que vous obtenez dans la vie !**
3. **Une expérience est le résultat concret d'une ou plusieurs pensées.**
4. **L'amour est une énergie puissante, vitale, qui circule en vous quand vous coulez en elle.**
5. **On ne court aucun danger en aimant à nouveau !**
6. **Tout problème a été, à un moment donné, la solution à un problème précédent.**
7. **Vous ne pouvez pas guérir ce que vous ne sentez pas.**
8. **Tout ce qui remonte en vous est sur la voie de sortie.**
9. **La vie ne vous donne jamais plus que ce que vous pouvez prendre.**
10. **Toute émotion est une sensation de vitalité ; si on ne l'étouffe pas, elle amplifie l'amour.**
11. **La peur est une invitation à une plus grande sécurité avec davantage d'énergie.**
12. **Tomber amoureux, c'est avoir le sentiment que votre désir désespéré d'avoir quelqu'un à s'occuper de vous pour toujours est peut-être enfin comblé.**
13. **Le message subconscient que l'on lance en tombant amoureux est : « Attrape-moi ! »**
14. **Être amoureux c'est faire, en présence de quelqu'un, l'expérience que votre essence est digne d'être aimée.**
15. **Le pardon est sa propre récompense.**
16. **Être jaloux c'est regarder quelqu'un donner son attention à quelqu'un d'autre que vous, ou à quelque chose, alors que vous pensez que vous avez besoin de cette attention.**

17. Vous ne pouvez vous lier avec un partenaire qu'une fois que vous avez libéré vos parents.
18. La culpabilité est la mafia de l'esprit.
19. La Terre est une affaire de famille.
20. La liberté est l'expérience du choix.
21. Ma passion, c'est la paix.
22. Je préfère gagner l'amour qu'avoir le dernier mot !
23. Un étranger est une personne avec laquelle vous vous sentez étrange.
24. Plus vous êtes reconnaissant, plus vous avez d'occasions de l'être.
25. Cessez de jouer à cache-cache avec Dieu.
26. Point n'est besoin d'être rebelle pour être excellent !
27. La seule personne avec laquelle vous pouvez être à égalité, c'est vous-même.
28. Pourquoi lutter pour mériter l'amour que vous méritez déjà ?
29. Montrez d'abord le pire de vous.
30. L'univers est encore en cours de création.
31. Désapprouver les autres diminue votre moi.
32. Plus vous prenez votre temps, plus vous avez de temps à prendre.
33. La lenteur est sacrée.
34. La patience dure toujours plus longtemps que la désespérance.
35. Votre force est plus forte que votre faiblesse.
36. La Rue de la Douceur est un bon voisinage.
37. La famille, ça veut dire s'aimer l'un l'autre, même quand il y a des divergences d'opinions.
38. Il n'y a que votre essence infinie que vous puissiez expérimenter ; votre esprit ne peut pas mesurer la plénitude de qui vous êtes.
39. Toutes les bonnes relations sont fondées sur l'amitié.
40. Si vous ne vous aimez pas vous-même, qui donc est censé le faire pour vous ?
41. On ne peut ni produire, ni détruire l'innocence.
42. Le rejet est une occasion de vous aimer plus totalement.

43. **Les autres pensent de vous la même chose que vous.**
44. **Vous ne pouvez pas vous trouver tout seul.**
45. **Les gens résistent à ce qu'ils désirent le plus.**
46. **L'immortalité est la clef maîtresse : elle ouvre la porte à toutes les possibilités.**
47. **Il n'y a pas de pénurie.**
48. **Il y en a largement assez pour que chacun en ait plus que largement.**
49. **Vous pouvez avoir de la compassion sans pour autant prendre la douleur des gens à votre compte.**
50. **Une crise cardiaque, c'est une crise de cœur !**
51. **Toute contrariété est une mise en scène.**
52. **Intimité veut dire : « Voyez comment je suis en dedans. »**
53. **Tout ce que vous ressentez est valide.**
54. **Vous êtes déjà en possession du bien le plus précieux de la vie : la vie elle-même.**
55. **Votre corps est la partie de l'univers concret qui est la plus proche de vous.**
56. **Rien de ce que vous perdez n'est essentiel pour le meilleur de vous.**
57. **Chaque fois que vous avez l'impression de perdre quelque chose de valeur, c'est tout simplement pour faire de la place pour quelque chose de meilleur.**
58. **Il vous faut parfois tomber en pièces détachées pour savoir de quoi vous êtes réellement fait.**
59. **Dieu, c'est les étoiles et l'espace qu'il y a entre elles.**
60. **Vous ne devez pas obligatoirement être parfait pour avoir une relation parfaite.**
61. **Dire « non » à ce que vous ne voulez pas ouvre la porte à ce que vous voulez vraiment.**
62. **Vous méritez de réussir sur toute la ligne !**
63. **Votre désir de vivre est plus fort que votre désir de mourir !**
64. **L'optimisme est la philosophie de l'amour et de la vie !**
65. **La « finition » est une bonne façon de commencer !**

À propos de l'auteur

Robert Steven Mandel est diplômé du Columbia College (B.A.) et de Columbia Graduate Faculties (M.A.), où il a étudié la philosophie, la psychologie, et le théâtre. Monsieur Mandel a continué son travail postuniversitaire à la Yale School of Drama. Il y a reçu le John Gassner Memorial Award pour son travail écrit, et il était éditeur assistant du Yale Theatre. Monsieur Mandel a quitté Yale pour Londres où il était auteur dramatique résidant du New Theatre. À son retour aux États-Unis, sa pièce *Sand Dwarfs* lui a mérité un National Endowment Award, et il est devenu associé au Theatre Arts Corporation du Nouveau-Mexique.

En 1976, l'intérêt de M. Mandel pour le procédé de la répétition théâtrale s'est transformé en un intérêt pour la croissance personnelle. Pendant les sept dernières années, il s'est consacré à « l'aide de soi » en tant que *rebirther* professionnel, conseiller et fondateur de plusieurs programmes que lui-même et sa femme Mallie dirigent à travers tout le pays. En 1980, il a fondé les PSIL : Programmes des séminaires internationaux du leadership, et il s'est consacré à entraîner les gens à dépasser leur propre potentiel de leadership.

Monsieur Mandel est actuellement le directeur national du Programme des relations d'amour, un atelier très populaire d'une fin de semaine qui est donné aux États-Unis, au Canada, et en Europe. *Vivre l'amour* est le résultat de sept ans de recherches et de travail.

Achevé d'imprimer au Canada
Imprimerie Gagné Ltée Louiseville